D1160628

みんなの日本語 初級Ⅱ 第2版

Minna no Nihongo

漢字 英語版 Kanji Ⅱ (English)

西口光一［監修］

新矢麻紀子・古賀千世子・高田 亨・御子神慶子［著］

スリーエーネットワーク

Published by 3A Corporation.
Trusty Kojimachi Bldg., 2F, 4, Kojimachi 3-Chome, Chiyoda-ku, Tokyo 102-0083, Japan

ISBN978-4-88319-744-6 C0081

First published 2001
Second Edition 2017
Printed in Japan

Preface

It is generally recognized that one of the major challenges for the learners of Japanese who have no background in using Chinese characters is acquiring the ability to read and write kanji. For those learners, the Japanese writing system is completely foreign and kanji look as though they are arbitrary graphic patterns consisting of different lines and dots. Therefore, it is understandable that many people hesitate to learn Japanese when they find these foreign characters used in the writing system, and that some learners focus on oral communication skills while avoiding learning written Japanese. It is true that the acquisition of written Japanese is a somewhat laborious task, but it will not be as laborious as you expect it to be if you are guided properly. Besides, you may experience a sense of wonder and excitement as you become familiar with a completely different writing system. The Romans said that there is no royal road to learning. But there is a proper road to learning. This book will lead you onto the proper road, so that you can learn to read and write Japanese, and kanji in particular, in an informative and enjoyable way.

Ms. Ayako Kikukawa, who also did the editorial work on 初級Ⅰ 漢字 , played an important role again in compiling this book. It took far longer to write than we had initially expected, but Ms. Kikukawa constantly encouraged the authors, giving precious comments and suggestions for the improvement of the manuscripts. On behalf of the authors of the book, I wish to thank her again. I also wish to extend my sincere gratitude to Mr. Masahiko Nishino, who also worked with us in writing 初級Ⅰ 漢字 , for his excellent work on the illustrations.

October 2001

Koichi Nishiguchi

With the publication of 'Minna no Nihongo Shokyu II Second Edition Main Text,' the vocabulary in this book has been revised and the book now published as a Second Edition.

3A Corporation
February 2017

はじめに

漢字を読んだり書いたりする能力を習得することは、漢字という文字にまったく馴染みのない学習者にとって学習上の大きな障害となっています。そうした学習者には、日本語の表記システムはたいへん奇妙なものであり、漢字という文字は適当な直線と曲線と点でできた無秩序な図形のように見えます。ですから、非漢字系の人たちが、このような漢字や日本語の表記システムを見て、日本語を勉強するのを躊躇するのはもっともだと言えますし、また、一部の非漢字系の学習者が漢字の学習をあきらめて、日本語の会話だけを勉強しようとするのもある程度理解できます。確かに、日本語の書き言葉を習得するのはそれほど容易なことではありません。しかし、適切な方法で勉強すれば、一見して思うほどたいへんなことではありません。また、自分の言語とはまったく違う日本語の表記システムが分かり始めると、きっと言葉というものの不思議さや面白さを感じることでしょう。その昔ローマ人は「学問に王道なし」と言いました。しかし、学問には「適切な道」はあります。この漢字の本は皆さんをその適切な道に導いてくれます。この本で勉強すれば、漢字や漢字語などについていろいろなことを知りながら、楽しく漢字を含む日本語の読み書き能力を習得することができます。

『初級Ⅰ 漢字』の場合と同様、スリーエーネットワークの菊川綾子氏が編集にあたってくれました。当初は割合早い時期に本書を出すことができるだろうと考えていたのですが、予想よりもはるかに執筆に時間がかかってしまいました。そんな執筆者達を菊川氏は忍耐強く励まし、また原稿ができあがったときには、本書の質を保つ観点から、引き続きさまざまな有益な助言をくださいました。改めて、深く御礼を申し上げます。また、やはり『初級Ⅰ 漢字』の場合と同様にイラストを担当してくださった西野昌彦氏にも紙面を借りて御礼を申し上げたいと思います。

2001年10月

西口光一

本書は『みんなの日本語 初級Ⅱ 第2版 本冊』の発行に伴い、語彙の見直しを行い、第2版として発行するものです。

2017年2月　スリーエーネットワーク

Introduction

□ General features of this book

This book has been prepared as a kanji book for みんなの日本語 初級Ⅱ 第２版 . However, the scope of this book is not limited to the kanji and *kanji words that appear in the course book. It also includes the development of general kanji ability and written Japanese language skills.

The authors do not think that the only way to learn kanji is to simply practice writing each kanji or kanji word over and over again and to memorize their readings by rote. Neither do the authors think that it is a good idea to design a course of learning based on the kanji system, because it is only a partial system and if we choose that course learners are often obliged to learn many unfamiliar words. The authors believe **that kanji and kanji words are best learned if they are studied in familiar words used in familiar contexts, while at the same time paying attention to the kanji system**. In this way, learners not only acquire a certain number of kanji and kanji words per se but also build a solid foundation to their general kanji ability and develop skills in written Japanese, thus encouraging them to study Japanese further.

As explained below, in the process of selecting target kanji and kanji words, the contents of the course book and the specification of kanji and vocabulary prepared for the Japanese Language Proficiency Test were taken into consideration. Therefore, this book can be used as a general elementary to early intermediate kanji text, as well as a kanji book accompanying みんなの日本語 初級Ⅱ 第２版 .

*kanji word = a word that is normally written in kanji or kanji plus some additional hiragana

□ Target kanji and kanji words

You have already studied 220 kanji in 初級Ⅰ 第２版 漢字 . Those kanji consist of 208 of the kanji required for Level 3 (equivalent to N4) of the Japanese Language Proficiency Test Content Specification (2004) and 12 of the kanji required for Level 2 (equivalent to N2) of the same test.

Kanji that you have already learned in 初級Ⅰ 第２版 漢字 : 220 kanji	
Level 3 kanji: 208 kanji	Level 2 kanji: 12 kanji

Target kanji in『初級Ⅰ 第２版 漢字』

In this book you are going to learn 316 kanji (including the 69 Level 3 kanji) and 491 kanji words.

Kanji that you will learn in 初級Ⅱ 第２版 漢字 : 316 kanji	
Level 3 kanji: 69 kanji	Level 2 kanji: 247 kanji

Target kanji in『初級Ⅱ 第２版 漢字』(this book)

Altogether, the 220 kanji you have learned in 初級Ⅰ 第２版 漢字 and the 316 kanji you will learn in this book make a total of 536 kanji, covering more than half of the 1,023 kanji required for Level 2 of the Japanese Language Proficiency Test.

□ Overview of the book

1. Units 21-22

These two units are review materials for the kanji and kanji words you have studied in 初級Ｉ 第２版 漢字 . Please study the materials paying special attention to the components of the kanji.

2. Unit 23

In this unit you will study the kanji word forms of vocabulary learned in the main textbook of みんなの日本語 初級Ｉ 第２版 using the kanji learned in 初級Ｉ 第２版 漢字 ; in other words, through the use of the vocabulary already learned, you will study other combinations of the kanji previously studied.

3. Units 24-25

In these units you are going to learn 23 Level 3 kanji using vocabulary items that you have learned in the main textbook of みんなの日本語 初級Ｉ 第２版 . From Unit 26 onwards you will learn a further 46 Level 3 kanji. These are listed at the end of Unit 25, together with 7 other Level 3 kanji not covered by this book. Those of you who wish to complete learning Level 3 kanji may learn these using this list right after you have finished studying Unit 25.

4. Units 26-50

Each of these units, which altogether form the main part of this book, corresponds with the lessons in the main textbook of みんなの日本語 初級Ⅱ 第２版 . The target kanji and kanji words are mainly selected out of the vocabulary items that appear in the corresponding lesson of the main textbook, and additional ones out of the vocabulary items that have appeared in the preceding lessons. Please study each unit after you have finished studying the corresponding lesson of the main textbook.

5. Reviews

Review materials are provided after every five units beginning with Unit 26. These review materials will give you opportunities to summarize and consolidate the knowledge you have gained, with special attention being paid to the system of kanji and kanji words.

6. Quizzes

Quizzes for each of the units from Units 23 to 50 are appended to the last part of the book. Please use them to check what you have learned.

7. Kanji Reference Booklet

Included in the Kanji Reference Booklet are **"Target kanji and kanji words," "Index of target kanji words," "Index of target kanji by the component,"** and **"List of target kanji."** This Kanji Reference Booklet is designed to be used as a "reference book," as the name suggests, while you study kanji with this book. Utilizing this booklet, you will be able to deepen your understanding of the system of kanji and kanji words and expand your knowledge systematically.

First, please take a look at the Index of target kanji by the component. 316 target kanji are listed according to the composition of the character and constituent component in this index. And each kanji is assigned particular kanji number starting from No. 221. Kanji that are learned in 初級Ｉ 第２版 漢字 are also listed in a proper places. Learners will be able to study kanji while being aware of the formal system of kanji.

316 target kanji with their respective kanji numbers are listed in Target kanji and kanji words according to the order of kanji in Target kanji by the component. These kanji numbers are the ones that are assigned to the target kanji appearing in each unit of the main book. Target kanji words and other kanji words containing the target kanji and other useful information are presented under the heading of each target kanji. Learners can study each target kanji while acquiring the knowledge of kanji and kanji words if they utilize this list.

The 491 target kanji words, followed by the number of the unit in which they appear in this book, as well as the target kanji and their kanji numbers, are shown in a-i-u-e-o order in the **"Index of target kanji words."**

And all the 536 target kanji studied in this book and 初級Ⅰ 第２版 漢字 are shown in the **"List of target kanji."**

□ About each unit (from Unit 24 to Unit 50)

Each unit has four pages. The first two pages are designed to provide material for you to learn each target kanji and kanji word. Indicated at the top of these pages are the target kanji you will learn within the unit. Each kanji number assigned to the kanji corresponds with the kanji number used in **"Target kanji and kanji words."** The following two pages comprise Kanji Hakase (漢字博士, kanji specialist) and Kanji Ninja (漢字忍者, kanji shadow warrior). However, Units 24 and 25 have two pages.

The first two pages consist of Ⅰ. 読み方 (reading), Ⅱ. 使い方 (usage), and Ⅲ. 書き方 (writing). The target kanji and kanji words of the unit are presented in 読み方. New target kanji and kanji words are presented in section [A] of 読み方, and new kanji words that can be written with already-learned kanji are presented in section [B]. New kanji are written in bold letters. 使い方 provides practice in reading the target kanji words in example sentences. The target kanji words are written in bold letters. The reading is given for every kanji word that is not the target of study in the unit.

Kanji Hakase (漢字博士) is a summary or review of the unit. The formal features and different readings of the target kanji, as well as the composition of the kanji compounds and the usage of the target kanji words, are mainly studied on this page. A diagrammatical summary of the kanji words and a passage for practicing reading them in context are also occasionally presented. The reading is given for every kanji word that is not the target of study in the unit. In the reading passages (読み物), however, readings are only given for those kanji words that have not been studied up to that point in this book.

Kanji Ninja (漢字忍者) summarizes everything you have learned about the kanji and kanji words studied in the preceding units. The reading is given for every kanji word that is not the target of study in the preceding units.

＋ indicates that the kanji is not among the target kanji. Also, ＊ indicates that the kanji word has not been learned and provides a translation.

□ How to proceed with the book

Study the first five units first. Then, proceed to Unit 26, and study each unit after you have studied the corresponding lesson in the main textbook of みんなの日本語 初級Ⅱ 第２版.

解　説

□　本書の特徴

本書は『みんなの日本語 初級Ⅱ 第２版』の漢字学習書として書かれたものです。しかし、本書の目指すところは、ただ単に同教科書に出てくる漢字や漢字語*を勉強するというものではありません。本書では、個々の漢字や漢字語を学習するだけでなく、一般的な漢字能力と日本語の書き言葉に関する技能の習得をも目指しています。

漢字を覚えるためには、個々の漢字や漢字語を何回も何回も書いて、読み方を丸暗記するしかない、と考えている人が多いようです。でも、実はそんなことはないと思います。また、漢字というものの体系を基にして漢字の教材が作成されることがありますが、これもあまりいいやり方ではないと思います。というのは、漢字の体系というのはごく部分的な体系であり、またそうしたやり方でいくと、学習者に知らない単語をたくさん覚えさせるという負担を強いてしまいます。**漢字や漢字語はよく知っている言葉や馴染みのある文や文脈の中で学習し、それと並行して漢字や漢字語の体系にも注目するという形で勉強するのがもっとも有効な勉強法だ**と、わたしたちは思います。そのように勉強すれば、学習者は単に一定の数の漢字や漢字語を覚えるだけでなく、一般的な漢字能力の基礎力を形成することができ、また日本語の書き言葉の技能を伸ばすことができます。そして、そうした勉強法は広く日本語学習一般を促進するものとなります。

以下に解説するように、学習漢字と学習漢字語の選択にあたっては、教科書と日本語能力試験の漢字と語彙のリストを相互に参照しました。そのため、本書は『みんなの日本語 初級Ⅱ 第２版』の付属漢字教材としてだけでなく、**一般的な基礎漢字教材としても使うことができます。**

*漢字語＝表記する際に、漢字で書かれたり、漢字と補足的な平仮名で書かれたりする言葉を総称して、このテキストでは漢字語と呼ぶ。

□　学習漢字と学習漢字語

『初級Ⅰ 第２版 漢字』では、220字の漢字を勉強しました。その内訳は、日本語能力試験出題基準（2004）の３級（現Ｎ４相当）漢字208字、２級（現Ｎ２相当）漢字12字となっています。

『初級Ⅰ 第２版 漢字』で学習した漢字：220字	
３級漢字：208字	２級漢字：12字

『初級Ⅰ 第２版 漢字』の学習漢字

本書では、69字の３級漢字を含む316字の漢字、及び491語の漢字語を学習事項として選びました。

『初級Ⅱ 第２版 漢字』で学習する漢字：316字	
３級漢字：69字	２級漢字：247字

『初級Ⅱ 第２版 漢字』（本書）の学習漢字

『初級Ⅰ　第２版　漢字』で学習した220字と本書で学習する316字を合わせると、536字となり、この２冊の漢字学習書で日本語能力試験２級漢字1,023字の半分以上を学習することとなります。

□　本書の概要

1．ユニット21－ユニット22

『初級Ⅰ　第２版　漢字』で学習した漢字と漢字語の復習です。漢字の字形に注意しながら学習してください。

2．ユニット23

『みんなの日本語　初級Ⅰ　第２版』本冊で学習した語彙の中には、『初級Ⅰ　第２版　漢字』で学習した漢字で書くことができる語彙があります。本ユニットでは、そのような漢字語を学習します。つまり、すでに習った漢字を別の語彙でもう一度学習するというわけです。

3．ユニット24－ユニット25

『みんなの日本語　初級Ⅰ　第２版』本冊で学習した語彙の中で23字の３級漢字を学習します。ユニット25の末尾には、ユニット26以降で学習する残りの3級漢字46字の一覧表と、本書で扱っていない7字の一覧表を付けました。まず、3級漢字の学習を終わらせたい人は、ユニット25の学習に続いて、これらの一覧表の漢字と漢字語を勉強してください。

4．メイン・ユニット：ユニット26－ユニット50

『みんなの日本語　初級Ⅱ　第２版』本冊の第26課から第50課に対応するユニットです。ユニット26は第26課、ユニット27は第27課、…ユニット50は第50課、というふうに、本冊の課と１対１対応になっています。各ユニットの学習漢字と学習語彙は、対応する課の新出語彙から主として選び、その他にそれ以前の課で学習した既習語彙からも選びました。教科書のそれぞれの課の学習を終えた後で、各ユニットを教材として漢字と漢字語を学習してください。

5．復習

ユニット26からユニット50では、５ユニット毎に復習のページを準備しました。復習のページは、それまでに学習した漢字について、漢字や漢字語の体系についての意識を高めながら、総合的に復習するページになっています。

6．クイズ

本冊の末尾にユニット23からユニット50の各ユニットに対応するクイズがあります。学んだ知識の確認や小テストとして利用してください。

7．参考冊

参考冊には、Target kanji and kanji words、Index of target kanji words、Index of target kanji by the component、List of target kanji、が含まれています。参考冊は名前の通り、本書で漢字を学習するときに必要に応じて参照するべきものです。参考冊を活用することで、より体系的に、また発展的に漢字を学習することができます。

まず、Index of target kanji by the componentを見てください。このリストでは、漢字

の構成と構成要素の種類に基づいて316の学習漢字が配列されています。そして、その配列に従って、221番から始まる漢字番号が付けられています。また、リストの中では、必要に応じて、『初級Ⅰ 第２版 漢字』で学習した漢字も示されています。このリストを活用することで、学習者は漢字の字形の体系を意識しながら各漢字を学習することができます。

Target kanji and kanji words では、**Index of target kanji by the component** で示された体系に従って316の学習漢字が漢字番号と共に提示されています。本冊の各ユニットで学習する漢字の下にはこの漢字番号が付されています。各々の学習漢字の下には、その学習漢字を含む学習漢字語とその他の漢字語及び関連する情報が提示されています。**Target kanji and kanji words** を活用することで、学習者はそれぞれの漢字や漢字語に関する知識を参照しながら、各学習漢字を学習することができます。

Index of target kanji words には、491の学習漢字語があいうえお順に提示され、その漢字語を学習するユニットが示されています。あわせて、その漢字を構成する漢字が漢字番号付きで提示されています。

List of target kanji には、本書と『初級Ⅰ 第２版 漢字』で学習する536字の漢字がすべて、漢字番号順に提示されています。

□ 各ユニットの構成（ユニット24からユニット50まで）

各ユニットは４ページで構成されています。最初の２ページはそのユニットで学習する漢字と漢字語そのものを学習するページです。ページの上にそのユニットで学習する漢字が提示されています。学習漢字に振られている番号は、参考冊の **Target kanji and kanji words** における漢字番号と対応しています。次の２ページは漢字博士と漢字忍者のページです。ただし、ユニット24と25は、２ページで構成されています。

最初の２ページは、「Ⅰ. 読み方」、「Ⅱ. 使い方」、及び「Ⅲ. 書き方」からなっています。「読み方」ではそのユニットで学習する漢字と漢字語が提示されています。「読み方」のⒶでは新しい漢字と漢字語が、「読み方」のⒷでは既習漢字で書ける新しい漢字語がそれぞれ提示されています。新しい漢字は太字になっています。「使い方」では学習漢字語を例文の中で読む練習をします。学習漢字語は太字になっています。そのユニットの学習事項になっていない漢字語にはすべて振り仮名が振られています。

漢字博士はユニットのまとめや復習です。学習漢字の字形の特徴や異なる読み方、また熟語の構成や学習漢字語の語法などを主に学習します。漢字語を図式的にまとめたものや、漢字語の読み方を練習するための文章も、必要に応じて提示しています。そのユニットの学習事項になっていない漢字語にはすべて振り仮名が振られています。ただし読み物では、本書のそのユニットのところまででまだ勉強していない漢字語にのみ振り仮名が振られています。

漢字忍者では、それまでに学習した漢字と漢字語の知識を整理します。それまでに学習事項となっていない漢字語にはすべて振り仮名が振られています。

「＋」は、その漢字が学習漢字に含まれないことを示しています。また、「＊」は、未習の漢字語であることを示し、語釈を付けています。

□ 本書の使い方

まず最初にユニット21からユニット25まで勉強してください。そして、ユニット26からは、『みんなの日本語 初級Ⅱ 第２版』本冊の各課が終わったところで、各々のユニットを勉強してください。

目次
Contents

ユニット21～25

1. ユニット21～22

These two units are review materials for the kanji and kanji words you have studied in 初級Ⅰ 第2版 漢字. Please study the materials paying special attention to the components of the kanji.

『初級Ⅰ第2版 漢字』で学習した漢字と漢字語の復習です。漢字の字形に注意しながら学習してください。

2. ユニット23

In this unit you will study the kanji word forms of vocabulary learned in the main textbook of みんなの日本語 初級Ⅰ 第2版 using the kanji learned in 初級Ⅰ 第2版 漢字; in other words, through the use of the vocabulary already learned, you will study other combinations of the kanji previously studied.

『みんなの日本語初級Ⅰ 第2版 本冊』で学習した語彙の中には、『初級Ⅰ第2版 漢字』で学習した漢字で書くことができる語彙があります。本ユニットでは、そのような漢字語を学習します。つまり、すでに習った漢字を別の語彙でもう一度学習するというわけです。

3. ユニット24～25

In these units you are going to learn 23 Level 3 kanji using vocabulary items that you have learned in the main textbook of みんなの日本語 初級Ⅰ 第2版. From Unit 26 onwards you will learn a further 46 Level 3 kanji. These are listed at the end of Unit 25, together with 7 other Level 3 kanji not covered by this book. Those of you who wish to complete learning Level 3 kanji may learn these using this list right after you have finished studying Unit 25.

『みんなの日本語初級Ⅰ 第2版 本冊』で学習した語彙の中で23字の3級漢字を学習します。ユニット25の末尾には、ユニット26以降で学習する残りの3級漢字46字の一覧表と、本書で扱っていない7字の一覧表を付けました。まず、3級漢字の学習を終わらせたい人は、ユニット25の学習に続いて、これらの一覧表の漢字と漢字語を勉強してください。

21

I.

亻	1.	3時ですね。ちょっと**休んで**、お茶でも飲みませんか。	**休**んで（やすんで）
	2.	A：**何**を**作って**いますか。	**何**、**作**って（なに、つくって）
		B：カレーを**作って**います。	
	3.	近くに図書館がありますから、**便利**です。	**便**利（べんり）
		よく本を**借り**に行きます。	**借**り（かり）
	4.	A：**仕事**が終わったら、飲みに行きませんか。	**仕**事（しごと）
		B：すみません。**体**の調子がよくないんです。	**体**（からだ）
	5.	兄は中国に**住んで**います。弟はタイに**住んで**います。	**住**んで（すんで）
彳	6.	**銀行**は**午後**3時までです。今、2時半です。	銀**行**、午**後**（ぎんこう、ごご）
	7.	A：今、ホテルに着きました。	
		B：すぐ**行き**ます。ロビーで**待って**いてください。	**行**き、**待**って（いき、まって）
氵	8.	一人で飲む**酒**はおいしくないです。	**酒**（さけ）
	9.	すみません。この**漢字**の読み方を教えてください。	**漢**字（かんじ）
	10.	夏休みに**海**へ行きます。早く行きたいです。	**海**（うみ）
土	11.	車で行きません。**地下鉄**で行きます。	**地**下鉄（ちかてつ）
阝	12.	12番のバスに乗って、大学前で**降りて**ください。	**降**りて（おりて）
	13.	雨が**降って**いますから、タクシーで**病院**へ行きます。	**降**って、病**院**（ふって、びょういん）
弓	14.	テレーザちゃんが、**強くて**、頭がいい人が好きだと	**強**くて（つよくて）
		言いました。スポーツをしなければなりません。	
		勉強もしなければなりません。	勉**強**（べんきょう）

女	15.	**姉**は本(ほん)が**好き**です。**妹**はスポーツが**好き**です。	**姉**(あね)、**好**(す)き、**妹**(いもうと)
口	16.	漢字(かんじ)には**意味**があります。だから、おもしろいです。	意**味**(いみ)
扌	17.	今(いま)、お金(かね)を**持って**いませんから、カードで買(か)います。	**持**(も)って
牜	18.	**買い物**に行(い)きます。買(か)いたい**物**がたくさんあります。	買(か)い**物**(もの)、**物**(もの)
	19.	**動物**に**食べ物**をあげてはいけません。	動**物**(どうぶつ)、食(た)べ**物**(もの)
木	20.	お兄(にい)ちゃんは今年(ことし)から**学校**へ行(い)きます。わたしも **学校**へ行きたいです。	学**校**(がっこう)
ネ	21.	わたしは**会社員**です。毎朝(まいあさ)7時(じ)に**会社**へ行(い)きます。	会**社**員(かいしゃいん)、会**社**(かいしゃ)
方	22.	**家族**と中国(ちゅうごく)へ**旅行**に行(い)きました。楽(たの)しかったです。	家**族**(かぞく)、**旅**行(りょこう)
王	23.	きのう、**タイ料理**を食(た)べました。おいしかったです。	タイ料**理**(りょうり)
日	24.	**土曜日**、友達(ともだち)と**映画**を見(み)ました。2回(かい)見て、食事(しょくじ)して、 **晩**、12時(じ)に家(いえ)へ帰(かえ)りました。	土**曜**日(どようび)、**映**画(えいが) **晩**(ばん)
	25.	冬(ふゆ)は昼(ひる)の**時間**が短(みじか)いです。早(はや)く**暗く**なります。	**時**間(じかん)、**暗**(くら)く
	26.	12月(がつ)22日(にち)です。朝(あさ)**6時**です。まだ**明るく**なりません。	6**時**(じ)、**明**(あか)るく
月	27.	来月(らいげつ)、パーティーがあります。この青(あお)い**服**を着(き)ます。	**服**(ふく)
禾	28.	**秋**から姉(あね)と東京(とうきょう)に住(す)んでいます。マンションは駅(えき)の 近(ちか)くの**便利な**所(ところ)にあります。一度(いちど)、来(き)てください。	**秋**(あき) 便**利**(べんり)な
矢	29.	A：あの人(ひと)を**知って**いますか。髪(かみ)が**短い**人です。 B：いいえ、**知り**ませんけど。	**知**(し)って、**短**(みじか)い
米	30.	奥(おく)さんは**料理**が上手(じょうず)です。ご主人(しゅじん)は**料理**が下手(へた)です。	**料**理(りょうり)
糸	31.	今(いま)、**手紙**を書(か)いています。もうすぐ**終わり**ます。	手**紙**(てがみ)、**終**(お)わり

言 32. すみませんが、もう少しゆっくり**話して**ください。 | **話**して

33. 漢字をいくつ覚えたら、**日本語**の新聞を**読む**ことができますか。 | 日本**語**、**読**む

34. **時計**を見ます。もう12時です。おなかがすきました。 | 時**計**

車 35. 車を**運転する**ことができます。でも、**自転車**に乗ることができません。 | 運**転**する / 自**転**車

36. このかばんは重いです。もう少し**軽い**のがいいです。 | **軽**い

金 37. すみません。**地下鉄**の駅はどこですか。 | 地下**鉄**

38. あしたは**銀行**は休みです。今日、行かないと。 | **銀**行

食 39. コーヒーを**飲み**ました。今から、**図書館**へ行きます。 | **飲**み、図書**館**

馬 40. 図書館は**駅**の近くです。歩いて5分ぐらいです。 | **駅**

Ⅱ.

力 1. 昼は**自動車**の会社で働いています。夜は大学で**勉強して**います。 | 自**動**車 / **勉** 強して

刀 2. そのはさみでこのセロテープを**切って**ください。 | **切**って

刂 3. 新しいパソコンです。軽くて、**便利**です。 | 便**利**

匕 4. ここは北海道のいちばん**北**です。前は海です。 | **北**

丁 5. 弟は去年、この**町**を出て、東京へ行きました。 | **町**

阝 6. 部長は今、**部屋**にいません。食堂へ行きました。 | **部**屋

斤 7. **新しい**うちは駅に**近い**ですから、便利です。 | **新**しい、**近**い

欠	8.	花見(はなみ)に行(い)きました。食(た)べたり、**飲んだ**り、**歌**を **歌ったり**しました。	**飲**んだ(の)、**歌**(うた) **歌**った(うた)
攵	9.	田中先生(たなかせんせい)はいません。今(いま)、**教室**で**教えて**います。	**教**室(きょうしつ)、**教**えて(おし)
月	10.	夏(なつ)です。**朝** 5 時(じ)です。外(そと)はもう**明るく**なりました。	**朝**(あさ)、**明**るく(あか)
寺	11.	友達(ともだち)を**待って**います。**時々**、**時計**を見(み)ます。あ、来(き)ました！　友達は大(おお)きいかばんを**持って**います。	**待**って(ま)、**時**々(ときどき) **時**計(とけい)、**持**って(も)
帚	12.	毎晩(まいばん) 8 時(じ)ごろ、家(いえ)に**帰り**ます。12 時ごろ、寝(ね)ます。	**帰**り(かえ)

22

I.

亠	1.	**六日**に**東京**に着(つ)きます。着いたら、電話(でんわ)します。	六日(むいか)、東**京**(とうきょう)
	2.	A：あの+背(せ)が**高い方**はどなたですか。	**高**い(たか)、**方**(かた)
		B：ドアの右(みぎ)に**立って**いる**方**ですか。山川(やまかわ)さんです。	**立**って(た)
𠆢	3.	**今日**は**金曜日**です。仕事(しごと)が終(お)わってから、友達(ともだち)と	**今**日(きょう)、**金**曜日(きんようび)
		タイ料理(りょうり)を**食べ**に行(い)きます。駅(えき)で友達に**会い**ます。	**食**べ(た)、**会**い(あ)
八	4.	じゃ、八日(ようか)の八時(はちじ)二**十分**に駅(えき)で会(あ)いましょう。	二十**分**(にじゅっぷん)
冖	5.	家族(かぞく)の**写真**です。わたしの家(いえ)の前(まえ)です。	**写**真(しゃしん)
十	6.	**古い写真**があります。若(わか)い母(はは)と父(ちち)がいます。	**古**い(ふる)、写**真**(しゃしん)
	7.	少(すこ)し**南**へ行(い)くと、**古い**建物(たてもの)があります。図書館(としょかん)です。	**南**(みなみ)、**古**い(ふる)
艹	8.	**英語**のニュースを聞(き)いて、**英語**の新聞(しんぶん)を読(よ)みます。	**英**語(えいご)
	9.	あれが**お茶**の**花**ですか。白(しろ)くて、小(ちい)さい**花**ですね。	お**茶**(ちゃ)、**花**(はな)
䒑	10.	学生(がくせい)です。**一か月前**に、日本(にほん)へ来(き)ました。	一か月**前**(いっかげつまえ)
口	11.	**兄**は**足**が長(なが)いです。わたしは**足**が短(みじか)いです。	**兄**(あに)、**足**(あし)
	12.	**兄**は**銀行員**です。去年(きょねん)、アップル銀行(ぎんこう)に入(はい)りました。	**兄**(あに)、銀行**員**(ぎんこういん)
土	13.	**去年**、車(くるま)を買(か)いました。**赤い**車です。	**去**年(きょねん)、**赤**い(あか)
宀	14.	**教室**の**窓**から外(そと)を見(み)ています。外はいい天気(てんき)です。	教**室**(きょうしつ)、**窓**(まど)
	15.	この**漢字**の本(ほん)はいいです。そして、**安い**です。	漢**字**(かんじ)、**安**い(やす)
	16.	電話(でんわ)をもらったとき、わたしは**家**で**寝て**いました。	**家**(いえ)、**寝**て(ね)
龶	17.	すみません。あの**青い**服(ふく)を見(み)せてください。	**青**い(あお)
止	18.	山(やま)の下(した)に車(くるま)を止(と)めて、山の上(うえ)のお寺(てら)まで**歩き**ます。	**歩**き(ある)

耂	19. 病院(びょういん)へ行(い)きました。**医者**は「おめでとうございます」と言(い)いました。今(いま)、子(こ)どもの名前(なまえ)を**考えて**います。	医**者**(いしゃ) **考**えて(かんが)
日	20. おじいちゃんは夜(よる)、**早く**寝(ね)て、朝(あさ)、**早く**起(お)きます。	**早**く(はや)
罒	21. たくさん**買い物し**ました。重(おも)いです。	**買**い物し(か もの)
田	22. 日本(にほん)の**男の人**は女(おんな)の人(ひと)より考(かんが)え方(かた)が古(ふる)いと**思い**ます。	**男**の人(おとこ ひと)、**思**い(おも)
立	23. パソコンで**音楽**を聞(き)きます。**音**もいいです。	**音**楽(おんがく)、**音**(おと)
	24. ことばの**意味**がわからないとき、友達(ともだち)に聞(き)きます。	**意**味(いみ)
⺍	25. A：あれは**学校**ですか。B：ええ、さくら**大学**です。	**学**校(がっこう)、大**学**(だいがく)
⺌	26. 学校(がっこう)の**食堂**はおいしくないです。でも、安(やす)いです。	食**堂**(しょくどう)
𦍌	27. 雪(ゆき)が降(ふ)っています。みんなコートを**着て**います。	**着**て(き)
⻗	28. 雨(あめ)の日(ひ)は部屋(へや)が暗(くら)いです。**電気**をつけましょう。	**電**気(でんき)

Ⅱ.

力	1. 子(こ)どもが2人(ふたり)います。上(うえ)が**男の子**、下(した)が女(おんな)の子(こ)です。	**男**の子(おとこ こ)
儿	2. **先生**、**お元気**ですか。わたしは**元気**です。	**先**生(せんせい)、お**元**気(げんき)
	3. **兄**は古(ふる)い車(くるま)を**売って**、新(あたら)しい車を買(か)いました。	**兄**(あに)、**売**って(う)
女	4. デパートは高(たか)いです。スーパーは**安い**です。	**安**い(やす)
子	5. 子(こ)どもは**小学生**です。今日(きょう)は**漢字**を十(とお)、習(なら)いました。	小**学**生(しょうがくせい)、漢**字**(かんじ)
木	6. 雨(あめ)の日曜日(にちようび)は家(いえ)で**音楽**を聞(き)きます。**楽しい**です。	音**楽**(おんがく)、**楽**しい(たの)

日	7. **医者**が**書いた**ダイエットの本です。貸しましょうか。	医**者**、**書**いた
	8. A：何の**音**ですか。	**音**
	B：雪の下の川の水の**音**です。山の**春**も近いです。	**春**
心	9. 天気が**悪く**なりました。**窓**を閉めましょう。	**悪**く、**窓**
	10. このことばはどんな**意味**だと**思い**ますか。	**意**味、**思**い
灬	11. **黒い**シャツを着ているハンサムな人はだれですか。	**黒**い
貝	12. パソコンを**買い**ます。いろいろ見てから、**買い**ます。	**買**い
	13. わたしは**銀行員**です。お金を**貸す**仕事をしています。	銀行**員**、**貸**す

Ⅲ.

ナ	1. **友達**の写真です。**右**が田中さん、**左**が山川さんです。	**友**達、**右**、**左**
广	2. あの**店**は**一度も**入ったことがありません。	**店**、**一度**も
	3. この**店**は料理がおいしいです。**広い**庭もすてきです。	**店**、**広**い
尸	4. **パン屋**でパンと飲み物を買います。**昼**に食べます。	パン**屋**、**昼**
疒	5. 時々、おなかが痛いです。一度、**病院**へ行かないと。	**病**院

Ⅳ.

廴	1. わたしの町に古い**建物**があります。千年前の**建物**です。	**建**物
辶	2. 地図を見ます。この**道**がいちばん**近い**です。	**道**、**近**い
	3. **友達**が中国へ行きます。空港まで**送り**に行きます。	友**達**、**送**り

4. **来週**、車(くるま)で旅行(りょこう)に行(い)きます。**友達**が**運転し**ます。 — 来週(らいしゅう)、友達(ともだち)、運転し(うんてん)

走 5. あしたの朝(あさ)、早(はや)く**起き**ます。出(で)かけますから。 — 起き(お)

免 6. きのうの晩(ばん)、一時(いちじ)まで**勉強し**ました。眠(ねむ)いです。 — 勉強し(べんきょう)

V.

口 1. **地図**を見(み)ます。あなたの**国**はどこにありますか。 — 地図(ちず)、国(くに)

冂 2. 今日(きょう)は**家内**が料理(りょうり)をします。今(いま)、**肉**を切(き)っています。 — 家内(かない)、肉(にく)

3. このシャツは**千円**です。友達(ともだち)も**同じ**のを買(か)いました。 — 千円(せんえん)、同じ(おな)

門 4. 朝起(あさお)きたら、窓(まど)を**開け**ます。夜寝(よるね)る前(まえ)に、**閉め**ます。 — 開け(あ)、閉め(し)

5. 毎日(まいにち)一時**間**、日本語(にほんご)の CD を**聞き**ます。 — 一時間(いちじかん)、聞き(き)

凵 6. あの**映画**で見(み)た山(やま)へ一度(いちど)行(い)きたいです。 — 映画(えいが)

匚 7. あの病院(びょういん)の**医者**は親切(しんせつ)じゃありません。 — 医者(いしゃ)

23

Ⅰ. 読み方

1. **意見**(いけん)	**意見**があります　**意見**を言(い)います
2. **花見**(はなみ)	**花見**をします　**花見**に行(い)きます
3. **社長**(しゃちょう)	IMCの**社長**　パワー電気(でんき)の**社長**　**社長**のいす
4. **終**(お)わり	8月(がつ)の**終**わり　来月(らいげつ)の**終**わり　去年(きょねん)の**終**わり
5. **気**(き)	**気**をつけます　車(くるま)に**気**をつけます
6. **日**(ひ)	雨(あめ)の**日**　休(やす)みの**日**　天気(てんき)がいい**日**
7. **字**(じ)	きれいな**字**　下手(へた)な**字**　上手(じょうず)な**字**
8. **大切**(たいせつ)な	**大切**な本(ほん)　**大切**な手紙(てがみ)　**大切**な話(はなし)
9. **思**(おも)い**出**(だ)す	国(くに)を**思**い**出**します　あの人(ひと)の名前(なまえ)を**思**い**出**しました
10. **食事**(しょくじ)する	レストランで**食事**します　**食事**に行(い)きます
11. **住**(す)む	アメリカに**住**みたいです　東京(とうきょう)に**住**んでいました
12. **足**(た)りる	ビールが**足**りません　いすが1(ひと)つ**足**りません

Ⅱ. 使い方

1. ワット先生(せんせい)は、日本(にほん)の学生(がくせい)はあまり**意見**を言(い)わないと言いました。わたしも同(おな)じ**意見**です。
2. **社長**は今月(こんげつ)の**終わり**にやめます。そして、わたしが**社長**になります。
3. ひらがなを覚(おぼ)えました。かたかなを覚えました。漢字(かんじ)を220覚えました。**字**の勉強(べんきょう)は大変(たいへん)です。
4. 彼女(かのじょ)と**食事し**ます。彼女の家(いえ)まで送(おく)ります。いつも家の前(まえ)で、「お休(やす)みなさい」と言(い)います。早(はや)くいっしょに**住み**たいです。
5. すてきなコートがありましたが、お金(かね)が**足り**ませんでした。ですから、カードで買(か)いました。

Ⅲ. まとめ

1. **意** **意**見 **意**味(いみ)
2. **見** 意**見** 花**見** **見**る(み)
3. **花** **花**見 **花**(はな)
4. **社** **社**長 会**社**(かいしゃ)
5. **長** 社**長** **長**い(なが)
6. **終** **終**わり **終**わる(お)
7. **気** **気**をつける 天**気**(てんき)
8. **日** **日** **日**曜**日**(にちようび) **日**本(にほん)
9. **字** **字** 漢**字**(かんじ)
10. **大** **大**切な **大**きい(おお) **大**学(だいがく)
11. **切** 大**切**な **切**る(き)
12. **思** **思**い出す **思**う(おも)
13. **出** 思い**出**す **出**す(だ) **出**る(で)
14. **食** **食**事する **食**堂(しょくどう) **食**べる(た)
15. **事** 食**事**する 仕**事**(しごと)
16. **住** **住**む **住**んでいる(す)
17. **足** **足**りる **足**(あし)

Ⅳ. 読み物

大切な日

今日は**大切**な**日**です。仕事が終わって、すぐ会社を出て、レストランへ行きます。レストランの前にマイクが立っています。

「待った？」

「ううん。」

わたしたちはワインを飲んで、**食事**を始めます。わたしは１年前の今日を**思い出し**ます。１年前の今日、**花見**に行ったとき、初(はじ)めて彼に会いました。彼は青いシャツを着ていました。友達が言いました。

「こちらはマイク・ミラーさんです。」

今日もマイクは青いシャツを着ています。初めて会った**日**と同じです。

24　試 験 問 題 答 耳 用

試	験	問	題	答	耳	用
369	388	534	527	461	245	242

Ⅰ．読み方

1．**試験**	あしたの**試験**　英語の**試験**　**試験**があります
2．**問題**	**問題**の答え　**問題**を読みます　**問題**があります
3．**答**え	試験の**答**え　問題の**答**え　**答**えを書きます
4．**耳**	**耳**と目　大きい**耳**　長い**耳**
5．**用**事	**用**事があります　**用**事を思い出します
6．**始**める	勉強を**始**めます　テニスを**始**めます
7．**集**める	切手を**集**めます　資料を**集**めます
8．**研究**する	オーストラリアの動物を**研究**しています
9．～**台**	パソコンが２**台**あります　タクシーを３**台**呼びます

Ⅱ．使い方

1．あした、**試験**があります。英語の**試験**です。もう一度、本を読みます。

2．アメリカへ留学したいです。でも、ことばやお金など、いろいろな**問題**があります。

3．今日の**試験**の３番の**問題**は難しかったです。**答え**がわかりませんでした。

4．Ａ：今日、仕事が終わってから、飲みに行きませんか。
　　Ｂ：すみません。今日はちょっと**用事**があります。

5．自動車はありません。でも、自転車が５**台**あります。

6．時間ですね。パーティーを**始め**ましょう。

7．世界の切手を**集めて**います。日本の切手も50枚あります。

8．大学で日本語を教えています。**研究**もしています。漢字の教え方の**研究**です。

始	集	研	究	台
311	481	352	438	474

Ⅲ. 書き方

試	亠	亠	言	言	訂	訂	訌	試	試
験	丨	厂	丌	馬	馬	馬	駘	験	験
問	丨	冂	门	尸	門	門	門	問	問
題	丶	日	旦	旦	是	是	題	題	題
答	丿	⺮	⺮	⺮	竺	竺	答	答	答
耳	丅	下	下	巨	耳				
用	丿	冂	月	月	用				
始	𡿨	女	女	女	始	始	始	始	
集	丿	亻	亻	仁	什	隹	隹	隼	集
研	一	丆	不	石	石	石	矸	研	研
究	丶	丷	宀	穴	穴	穴	究		
台	厶	厶	台	台	台				

Ⅳ. 読み物

試験

「これから、**試験**について説明（せつめい）します。」

「**問題**は5枚（まい）あります。それから、答案用紙（とうあんようし）*が1枚あります。**答え**は答案用紙に書いてください。」

「**試験**が終わったら、答案用紙だけ**集め**ます。」

「何か質問（しつもん）はありませんか。」

「じゃ、答案用紙に名前と番号（ばんごう）を書いてください。」

「**始めて**ください。」

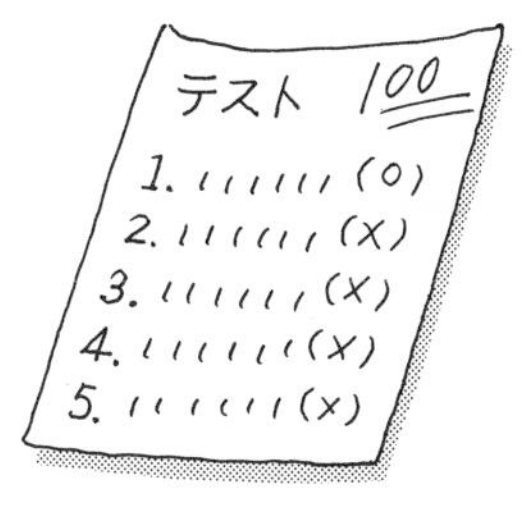

*答案用紙　answer sheet

25　飯 場 正 世 界 急 特

384　298　237　238　454　418　328

Ⅰ. 読み方

1. ご**飯**(はん)	朝(あさ)ご**飯**　昼(ひる)ご**飯**　晩(ばん)ご**飯**　ご**飯**を食(た)べます
2. 売(う)り**場**(ば)	かばん売り**場**　時計(とけい)売り**場**　カメラ売り**場**
3. お**正**月(しょうがつ)	今年(ことし)のお**正**月　来年(らいねん)のお**正**月　楽(たの)しいお**正**月
4. **世界**(せかい)	**世界**の国(くに)　**世界**でいちばん高(たか)い山(やま)
5. **急**行(きゅうこう)	**急**行で行(い)きます　**急**行に乗(の)ります
6. **特急**(とっきゅう)	**特急**に乗(の)ります　**特急**で行(い)きます
7. **県**(けん)	高知(こうち)**県**　山口(やまぐち)**県**　秋田(あきた)**県**に住(す)んでいます
8. **低**(ひく)い	**低**いいす　**低**いテーブル　**低**い山(やま)
9. **弱**(よわ)い	**弱**い人(ひと)　お酒(さけ)は**弱**いです　女(おんな)の人(ひと)に**弱**いです
10. **不**便(ふべん)な	**不**便な所(ところ)　ここは**不**便です
11. **急**(いそ)ぐ	**急**ぎましょう　**急**いでください
12. **特**(とく)に	動物(どうぶつ)の中(なか)で**特**に犬(いぬ)が好(す)きです

Ⅱ. 使い方

1. 今日(きょう)、朝(あさ)**ご飯**を食(た)べませんでした。昼(ひる)**ご飯**も食べませんでした。とてもおなかがすきました。

2. **お正月**の料理(りょうり)があります。**お正月**の花(はな)があります。母(はは)と姉(あね)は着物(きもの)を着(き)ています。父(ちち)とわたしは新(あたら)しいセーターを着ています。「おめでとうございます。」

3. 家(いえ)の近(ちか)くの駅(えき)は**急行**が止(と)まりません。**急ぐ**とき、**不便**です。

4. 電車(でんしゃ)が好(す)きです。**世界**の有名(ゆうめい)な**特急**に乗(の)りたいです。

5. A：何(なに)か質問(しつもん)がありますか。　B：いいえ、**特に**ありません。

県　低　弱　不
452　260　250　229

Ⅲ. 書き方

飯	𠆢	𠆢	今	今	食	飠	飣	飰	飯
場	土	圵	坦	坦	垾	埸	場	場	場
正	一	丅	下	𤴓	正				
世	一	十	廿	廿	世				
界	丨	冂	罒	田	田	畀	畀	界	界
急	ノ	𠂊	⺈	刍	刍	刍	急	急	急
特	ノ	𠂉	牛	牛	牛	牛	特	特	特
県	丨	冂	月	月	目	亘	県	県	県
低	ノ	亻	亻	仁	仾	低	低		
弱	㇆	コ	弓	弓	弓	弓	弓	弱	弱
不	一	ア	不	不					

Ⅳ. 読み物

もうすぐお正月

もうすぐ**お正月**です。毎日**お正月**の準備(じゅんび)をしています。今日はデパートへ買い物に来ました。

地下(ちか)の**売り場**は人が多いです。みんな高い肉や大きい魚を買っています。野菜(やさい)やお菓子(かし)も買っています。

お正月の料理も売っています。うちで作らなくてもいいですから、便利ですね。

The following are the Japanese Language Proficiency Test Level 3 kanji that you will learn after Unit 25.

日本語能力試験(にほんごのうりょくしけん)の3級漢字(きゅうかんじ)のうちユニット26以降(いこう)で学習(がくしゅう)する漢字(かんじ)は以下(いか)のとおりです。

漢字	ことば	ユニット	漢字	ことば	ユニット	漢字	ことば	ユニット
1. 遠	遠(とお)い	26	17. 夕	夕方(ゆうがた)	32	33. 文	文法(ぶんぽう)	41
2. 市	市役所(しやくしょ)	26	18. 合	間(ま)に合(あ)う	32	34. 産	お土産(みやげ)	41
3. 所	市役所(しやくしょ)	26	19. 回	～回(かい)	34	35. 暑	暑(あつ)い	43
4. 声	声(こえ)	27	20. 質	質問(しつもん)する	34	36. 寒	寒(さむ)い	43
5. 鳥	鳥(とり)	27	21. 野	野菜(やさい)	36	37. 頭	頭(あたま)	44
6. 走	走(はし)る	27	22. 菜	野菜(やさい)	36	38. 太	太(ふと)い	44
7. 色	色(いろ)	28	23. 別	特別(とくべつ)な	36	39. 洋	洋食(ようしょく)	44
8. 品	品物(しなもの)	28	24. 注	注意(ちゅうい)する	37	40. 薬	薬(くすり)	44
9. 説	説明(せつめい)する	28	25. 池	池(いけ)	37	41. 働	働(はたら)く	45
10. 力	力(ちから)	28	26. 村	村(むら)	38	42. 風	風(かぜ)	45
11. 心	熱心(ねっしん)な	28	27. 工	工場(こうじょう)	38	43. 業	卒業(そつぎょう)する	46
12. 通	通(かよ)う	28	28. 代	～代(だい)	39	44. 牛	牛乳(ぎゅうにゅう)	48
13. 洗	洗(あら)う	29	29. 死	死(し)ぬ	39	45. 首	首相(しゅしょう)	49
14. 引	引(ひ)き出(だ)し	30	30. 以	～以下(いか)	40	46. 私	私(わたくし)	50
15. 顔	顔(かお)	31	31. 都	都合(つごう)	40			
16. 空	空(そら)	32	32. 発	発表(はっぴょう)	40			

The following 7 kanji will complete the whole of Level 3 kanji.

その他(た)の3級漢字(きゅうかんじ)

漢字	ことば	漢字	ことば	漢字	ことば
47. 区	区(く)	50. 林	林(はやし)	52. 進	進(すす)む
48. 光	光(ひかり)	51. 門	門(もん)	53. 民	市民(しみん)
49. 森	森(もり)				

ユニット26～50

ユニット26～50

Each of these units corresponds with the lessons in the main textbook of みんなの日本語 初級II 第2版.
『みんなの日本語 初級II 第2版 本冊』の第26課から第50課に対応するユニットです。

26　議 駐 帽 横 市 役 所

373 387 326 335 409 271 396

Ⅰ. 読み方

A	1.	**会議**(かいぎ)	会**議**があります　会**議**をします
	2.	国会**議**事堂(こっかいぎじどう)	国会**議**事堂を見学(けんがく)します
	3.	**駐**車場(ちゅうしゃじょう)	スーパーの**駐**車場　**駐**車場に車(くるま)を止(と)めます
	4.	**帽**子(ぼうし)	新(あたら)しい**帽**子　古(ふる)い**帽**子　子(こ)どもの**帽**子
	5.	**横**(よこ)	銀行(ぎんこう)の**横**のレストラン　ミラーさんの**横**に立(た)ちます
	6.	**市役所**(しやくしょ)	**市役所**は駅(えき)の前(まえ)です　**市役所**へ行(い)きます
	7.	場**所**(ばしょ)	市役所(しやくしょ)の場**所**　たばこを吸(す)う場**所**
	8.	**拾**う(ひろ)	ごみを**拾**います　お金(かね)を**拾**いました
	9.	**捨**てる(す)	ごみを**捨**てます　古(ふる)い服(ふく)を**捨**てます
	10.	**遅**れる(おく)	会議(かいぎ)に**遅**れます　学校(がっこう)に**遅**れます
	11.	**遠**い(とお)	**遠**い国(くに)　**遠**い町(まち)　駅(えき)まで**遠**いです
	12.	～**歳**(さい)	何(なん)**歳**ですか　12**歳**です
B	1.	運動会(うんどうかい)	会社(かいしゃ)の運動会　学校(がっこう)の運動会
	2.	今度(こんど)	今度の日曜日(にちようび)　今度の休(やす)み　今度のクリスマス
	3.	気分(きぶん)がいい	けさは気分がいいです

Ⅱ. 使い方

1. **会議**が終(お)わってから、みんなでお酒(さけ)を飲(の)みに行(い)きました。
2. **国会議事堂**を見学(けんがく)したいんですが、どうしたらいいですか。
3. 車(くるま)のかぎを**拾い**ました。**駐車場**の**横**で**拾い**ました。
4. クラスでは**帽子**をかぶらないほうがいいです。
5. 電車(でんしゃ)が**遅れ**ました。大切(たいせつ)な**会議**に**遅れ**ました。
6. サントスさんの国(くに)は日本(にほん)から**遠い**です。今年(ことし)は国へ帰(かえ)りません。

拾　捨　遅　遠　歳
323　324　521　522　446

7．古(ふる)い物(もの)をたくさん**捨て**ました。部屋(へや)が広(ひろ)くなりました。**気分がいい**です。

8．**今度**の⁺誕生日(たんじょうび)に100**歳**になります。

9．ベッドや自転車(じてんしゃ)を**捨てる**ときは、**市役所**でチケットを買(か)ってから、ごみ置(お)き場(ば)へ持(も)って行(い)ってください。

10．**今度**の日曜日(にちようび)は子(こ)どもの学校(がっこう)の**運動会**です。

Ⅲ．書き方

議	言	訁丷	訁䒑	訁𦍌	詳	詳	詳	議	議
駐	丨	厂	冂	冃	馬	馬	馬亠	馯	駐
帽	丨	冂	巾	巾丨	巾冂	巾冃	帽	帽	帽
横	木	木一	朾	木廾	木卄	木冊	木苗	横	横
市	丶	亠	亠丨	亠冂	市				
役	ノ	彡	彳	彳ノ	彳几	役	役		
所	一	㇇	ヨ	戸	戸ノ	所	所	所	
拾	一	十	扌	扌ノ	扒	扲	拎	拾	拾
捨	十	扌	扌ノ	扒	扲	拎	拴	捨	捨
遅	一	コ	尸	尸	尸	屖	屖	遅	遅
遠	十	土	吉	声	袁	袁	袁	遠	遠
歳	丨	止	止	产	产	崴	歳	歳	歳

26 漢字博士

Ⅰ．タスク：（ア）～（ウ）に ａ．～ｃ． のどれを入れますか。

ａ．**横**　　ｂ．近　　ｃ．**遠**

1. **駐車場**Ａは**市役所**の（ア　　　）にあります。（イ　　　）いです。
2. **駐車場**Ｂは**市役所**の後ろにあります。少し（ウ　　　）いです。

Ⅱ．タスク：どうしたら、いいですか。考えましょう。

1. 道で犬を**拾い**ました。
   - ａ．うちで食べ物をあげます。
   - ｂ．**市役所**に連絡します。
2. 古いベッドを**捨て**たいです。
   - ａ．ごみ置き場に**捨て**ます。
   - ｂ．**市役所**へ行って、チケットを買います。

解答　Ⅰ．1．アａ　イｂ　2．ウｃ

Ⅲ. 読み物

国会議事堂

国会議事堂は1936年にできました。+皇(こう)+居(きょ)*1の近くにあります。

議事堂の前に広い庭(にわ)があって、たくさんの木があります。春は+桜(さくら)の花がきれいです。

議事堂はだれでも見学(けんがく)することができます。月曜から金曜は9時から4時まで見学できます。10**歳**から入ることができます。無料(むりょう)*2です。

ロビーで説明(せつめい)を聞いてから、2階(かい)の会議室(かいぎしつ)、広間(ひろま)*3へ行きます。

会議を見学する**場所**は3階(がい)にあります。広い会議室を上から見学します。

(参議院事務局 提供)

*1 皇居 Imperial Palace　*2 無料 free of charge　*3 広間 hall

漢字忍者

「**場**」を使(つか)ったことば

1. 会**場**(かいじょう) convention hall
2. 駐車**場**(ちゅうしゃじょう) parking lot
3. 運動**場**(うんどうじょう) playground (school)
4. 式**場**(しきじょう) ceremonial hall
5. 練習**場**(れんしゅうじょう) training place
6. スキー**場**(じょう) skiing ground
7. ゴルフ**場**(じょう) golf links
8. 国際会議**場**(こくさいかいぎじょう) international assembly hall
9. 道**場**(どうじょう) training hall (judo school, karate school)

10. タクシー乗(の)り**場**(ば) taxi stand
11. 遊(あそ)び**場**(ば) play area (kids), entertainment district (adults)
12. 洗(あら)い**場**(ば) dish washing place
13. 売(う)り**場**(ば) selling place
14. ごみ置(お)き**場**(ば) dump yard
15. 踊(おど)り**場**(ば) landing
16. 酒**場**(さかば) bar

27　声　具　鳥　夢　波　末　座

声	具	鳥	夢	波	末	座
434	451	536	426	277	233	504

Ⅰ．読み方

A

1．**声**（こえ）	子（こ）どもの**声**　人（ひと）の**声**　鳥（とり）の**声**
2．道**具**（どうぐ）	便利（べんり）な道**具**　スキーの道**具**
3．**鳥**（とり）	大（おお）きい**鳥**　小（ちい）さい**鳥**　青（あお）い**鳥**
4．**夢**（ゆめ）	わたしの**夢**　子（こ）どもの**夢**　**夢**を見（み）ます
5．**波**（なみ）	**波**の音（おと）　**波**が高（たか）いです　**波**が静（しず）かです
6．週**末**（しゅうまつ）	週**末**は休（やす）みます　週**末**も仕事（しごと）です
7．**座**る（すわ）	いすに**座**ります　先生（せんせい）の横（よこ）に**座**ります
8．**走**る（はし）	駅（えき）まで**走**ります　毎朝（まいあさ）**走**ります
9．**登**る（のぼ）	山（やま）に**登**ります　木（き）に**登**ります
10．**修**理する（しゅうり）	自転車（じてんしゃ）を**修**理します　パソコンの**修**理
11．お**願**いします（ねが）	よろしくお**願**いします
12．～**階**（かい／がい）	ロビーは2**階**です　50**階**のレストランで食事（しょくじ）します

B

1．花火（はなび）	花火はきれいです　花火を見（み）ます　花火をします
2．会議室（かいぎしつ）	大（おお）きい会議室　広（ひろ）い会議室　部長（ぶちょう）は会議室にいます
3．見える（み）	家（いえ）から海（うみ）が見えます　駅（えき）から図書館（としょかん）が見えます
4．聞こえる（き）	ピアノの音（おと）が聞こえます　子（こ）どもの声（こえ）が聞こえます
5．開く（ひら）	店（みせ）を開きます　料理教室（りょうりきょうしつ）を開きます
6．建てる（た）	家（いえ）を建てます　ホテルを建てます

Ⅱ．使い方

1．時々（ときどき）、母（はは）の**声**を思（おも）い出（だ）します。でも、今（いま）、母はいません。

2．おじいさんに**道具**の使（つか）い方（かた）を教（おし）えてもらいました。

3．先月会社（せんげつかいしゃ）をやめました。でも時々（ときどき）会社で仕事（しごと）をしている**夢**を見（み）ます。

走 登 修 願 階

433 466 266 407 302

4. わたしの**夢**は世界(せかい)でいちばんきれいな**花火**を作(つく)ることです。

5. **週末**は山(やま)へ行(い)きます。**鳥**の**声**を聞(き)いて休(やす)みます。

6. きのう、お寺(てら)で長(なが)い時間(じかん)**座って**いました。足(あし)が痛(いた)くなりました。

7. 夏休(なつやす)みに[+]富(ふ)[+]士山(じさん)に**登り**ます。毎朝(まいあさ)30分(ぷん)**走って**います。

10. パソコンの**修理**を**お願いします**。

11. 去年家(きょねんいえ)を**建て**ました。2**階**から海(うみ)が**見える**家です。

  夏(なつ)は家から**花火**が**見え**ます。

12. 東京(とうきょう)でレストランを**開き**たいですが、高(たか)いです。

Ⅲ. 書き方

声	一	十	士	士	韦	声	声		
具	丨	冂	冃	月	目	且	具	具	
鳥	丿	亻	户	户	白	自	鳥	鳥	鳥
夢	艹	艹	艹	艹	艹	夢	夢	夢	夢
波	丶	丶	氵	氵	汇	沪	波	波	
末	一	二	丰	才	末				
座	丶	亠	广	广	広	広	座	座	座
走	一	十	土	丰	丰	走	走		
登	フ	ヲ	癶	癶	癶	癶	登	登	登
修	丿	亻	亻	亻	亻	攸	攸	修	修
願	一	厂	厂	原	原	願	願		
階	㇇	阝	阝	阝	阝	阝	阝	階	階

27　漢字博士

Ⅰ．タスク：（ア）～（オ）に［ a.～e. ］のどれを入(い)れますか。

［ a．**道具**　　b．**週末** ］

1．（ア　　　）は妻(つま)が料理(りょうり)をします。

料理を作(つく)るとき、いろいろな（イ　　　）を使(つか)います。

［ a．**開く**　　b．**建てる**　　c．**夢** ］

2．わたしの（ア　　　）は、自分(じぶん)で家(いえ)を（イ　　　）ことです。

姉(あね)の（ア　　　）は、英語(えいご)教室(きょうしつ)を（ウ　　　）ことです。

［ a．**花火**　　b．**聞こえ**　　c．**鳥**　　d．**見え**　　e．**声** ］

3．夜(よる)、海(うみ)で（ア　　　）を見(み)ました。

ホテルの窓(まど)から海が（イ　　　）ます。

窓を開(あ)けると、（ウ　　　）の（エ　　　）が（オ　　　）ます。

解答(かいとう)　Ⅰ．1．アb　イa　　2．アc　イb　アc　ウa　　3．アa　イd　ウc　エe　オb

Ⅱ. 読み物

⁺沖⁺縄の思い出[*1]

週末、彼女と沖縄へ行った。

東京から飛行機で２時間半。そこは南の島[*2]。

青い海、白い**波**。広い海、静かな**波**。
ホテルの窓から海が**見える**。そして、窓を開けると、**波**の音が**聞こえる**。
すばらしい景色[*3]。**夢**。楽園[*4]。

朝、彼女と泳いだ。**波**に乗って、**波**と遊んだ。**走った**。

昼、**波**の下に⁺潜った[*5]。魚が**見えた**。

夜、海辺[*6]に**座って**、**花火**を見た。

9月。秋。東京の生活。仕事。忙しい毎日。

早く彼女に会いたい。

[*1] 思い出 memory　[*2] 島 island　[*3] 景色 view　[*4] 楽園 paradise　[*5] 潜る dive
[*6] 海辺 beach

28 形 品 力 熱 心 経 景

395 431 221 489 230 356 448

Ⅰ. 読み方

A	1. **形**(かたち)	きれいな**形**　**形**がいいです
	2. **品**物(しなもの)	このデパートは**品**物が多(おお)いです
	3. **力**(ちから)	**力**があります　**力**が強(つよ)いです
	4. **熱**(ねつ)	**熱**があります　**熱**が高(たか)いです
	5. **熱心**な(ねっしん)	あの学生(がくせい)は**熱心**です　あの先生(せんせい)は**熱心**です
	6. **経**験(けいけん)	アルバイトの**経**験　**経**験があります
	7. **景色**(けしき)	すばらしい**景色**　**景色**がいいです
	8. **色**(いろ)	青(あお)い**色**　きれいな**色**　海(うみ)の**色**　**色**がいいです
	9. **眠**い(ねむ)	**眠**いです　毎日(まいにち)**眠**いです　**眠**くなります
	10. **説**明する(せつめい)	使(つか)い方(かた)を**説**明します　試験(しけん)について**説**明します
	11. **選**ぶ(えら)	車(くるま)を**選**びます　仕事(しごと)を**選**びます　答(こた)えを**選**びます
	12. **通**う(かよ)	大学(だいがく)に**通**います　病院(びょういん)に**通**います　バスで**通**います
B	1. 台所(だいどころ)	広(ひろ)い台所　明(あか)るい台所　きれいな台所
	2. 人気(にんき)	人気があります　あのパン屋(や)は人気があります
	3. 味(あじ)	味がいいです　味を見(み)ます　味がありません
	4. 歌手(かしゅ)	歌手になりたいです　あの歌手は人気(にんき)があります
	5. 会話(かいわ)	日本語(にほんご)の会話　会話の練習(れんしゅう)　会話の時間(じかん)
	6. 売れる(う)	このパンはよく売れます　本(ほん)が売れます

Ⅱ. 使い方

1. **味**がよくても、**形**が悪(わる)い野菜(やさい)は**売れ**ません。
2. デパートはいい**品物**が多(おお)いです。デパートで服(ふく)を**選び**ました。
3. 勉強(べんきょう)よりアルバイトに**熱心**な学生(がくせい)がたくさんいます。

色 眠 説 選 通
415　347　370　524　518

4．**力**がないと、この仕事(しごと)はできません。危(あぶ)ない仕事です。**経験**がないと、この仕事はできません。難(むずか)しい仕事です。

5．ここは**景色**がいいし、大学(だいがく)に**通う**とき、便利(べんり)だし、ここに住(す)みたいです。

6．この薬(くすり)について**説明し**ます。この薬を飲(の)むと、**眠く**なります。

7．子(こ)どものとき、**台所**で勉強(べんきょう)していました。母(はは)が料理(りょうり)をしながら、宿題(しゅくだい)を見(み)てくれました。

8．**熱**が高(たか)いし、顔(かお)の**色**もよくないです。すぐ病院(びょういん)へ行(い)きましょう。

Ⅲ．書き方

形	一	二	于	开	开	形	形		
品	丨	冂	口	口	口	口	吅	品	品
力	𠃌	力							
熱	十	土	圥	圥	坴	埶	埶	埶	熱
心	丶	心	心	心					
経	𠃋	幺	糸	糸	紀	経	経	経	経
景	冂	日	日	旦	昌	昌	景	景	景
色	ノ	ク	勺	角	色	色			
眠	冂	月	月	目	目	目	眊	眠	眠
説	亠	亠	言	言	言	詋	詋	説	説
選	乛	コ	己	巳	巽	巽	巽	巽	選
通	乛	マ	乛	甬	甬	甬	甬	通	通

28　漢字博士

Ｉ．**チャレンジ：**習（なら）った漢字（かんじ）で新（あたら）しいことばを作（つく）りましょう。

1．**通**　＋　学 25　→　通学（つうがく）する　go to school

毎日（まいにち）、学校（がっこう）に**通い**ます。電車（でんしゃ）で**通**学（つうがく）します。

2．人 36　＋　**形**　→　人形（にんぎょう）　doll

子（こ）どものとき買（か）ってもらった人**形**（にんぎょう）です。今（いま）も大切（たいせつ）にしています。

3．手 76　＋　**品**　→　手品（てじな）　conjuring trick

兄（あに）は手**品**（てじな）が上手（じょうず）です。みんな手**品**を見（み）て、「すごい」と言（い）います。

4．冬 191　＋　**眠**　→　冬眠（とうみん）する　hibernate

クマ[*1]やヘビ[*2]は冬**眠**（とうみん）しますが、犬（いぬ）や+猫（ねこ）はしません。

*1 クマ bear
*2 ヘビ snake

5．**説**　＋　明 132　＋　書 92　→　説明書（せつめいしょ）　manual

何回（なんかい）も**説**明書（せつめいしょ）を読（よ）みましたが、パソコンの使（つか）い方（かた）がわかりません。

6．**選**　＋　手 76　→　選手（せんしゅ）　player, athlete

姉（あね）はテニスの**選**手（せんしゅ）です。妹（いもうと）は柔道（じゅうどう）[*3]の**選**手です。

*3 柔道 judo

Ⅱ．タスク：読み方が違います。

A. 熱

a 熱（ねつ）
b **熱心**（ねっしん）
c 熱い（あつ）

B. 色

a 色（いろ）
b **景色**（けしき）

C. 手

a 手（て）
b **歌手**（かしゅ）

上の□の中からことばを選んで（　　）に入れてください。

A. 1. かぜをひきました。（　　　　）もあります。

2. （　　　　）お茶を飲みます。

3. あの先生は（　　　　）だし、**経験**も多いです。

B. 1. 北海道の（　　　　）はきれいです。

2. ⁺沖⁺縄の海の（　　　　）は青いです。

C. 1. 妹の夢は（　　　　）になることです。

2. サッカーは（　　　　）を使いません。

Ⅲ．読み物

東京の夜景*1

東京タワー*2は**人気**がある場所です。東京タワーから見る、東京の夜の**景色**はとてもきれいです。毎月、夜景を見に東京へ**通う**、**熱心な**人もいます。外国から来る人も多いです。

わたしは東京タワーが見える**景色**も好きです。週末の夜は青い**色**やピンク色*3にライトアップし*4ます。近くのホテルや高いビルから見たり、高速道⁺路*5から見る**景色**もすばらしいです。

@(公財)東京観光財団

*1 夜景 night view　*2 東京タワー Tokyo Tower　*3 ピンク色 pink color
*4 ライトアップする light up　*5 高速道路 freeway

解答　Ⅱ．A.1.a　2.c　3.b　B.1.b　2.a　C.1.b　2.a

29

番	号	袋	忘	落	汚	洗
491	430	498	484	427	278	290

Ⅰ. 読み方

A

1. **番号**(ばんごう) ｜ 部屋(へや)の**番号**　電話(でんわ)**番号**　学生(がくせい)**番号**
2. **袋**(ふくろ) ｜ 紙(かみ)の**袋**　スーパーの**袋**　小(ち)さい**袋**
3. **忘**れ物(わすれもの) ｜ **忘**れ物をしました　部屋(へや)に**忘**れ物がありました
4. **忘**れる(わすれる) ｜ カメラを**忘**れました　電話番号(でんわばんごう)を**忘**れました
5. **落**とす(おとす) ｜ パスポートを**落**としました　コップを**落**としました
6. **汚**れる(よごれる) ｜ 車(くるま)が**汚**れました　服(ふく)が**汚**れます　手(て)が**汚**れています
7. **洗**う(あらう) ｜ 手(て)を**洗**います　車(くるま)を**洗**います
8. **付**く(つく) ｜ ポケットが**付**いています　上着(うわぎ)に何(なに)か**付**いています
9. **覚**える(おぼえる) ｜ 漢字(かんじ)を**覚**えます　名前(なまえ)を**覚**えます
10. **調**べる(しらべる) ｜ 道(みち)を**調**べます　地図(ちず)で**調**べます
11. **取**る(とる) ｜ 忘(わす)れ物(もの)を**取**りに行(い)きます
12. ～**辺**(へん) ｜ この**辺**　あの**辺**　どの**辺**
13. ～**側**(がわ) ｜ 左(ひだり)**側**　右(みぎ)**側**　窓(まど)**側**

B

1. 住所(じゅうしょ) ｜ 住所を書(か)きます　住所を教(おし)えます
2. 駅員(えきいん) ｜ 駅員に聞(き)きます　駅員がいません
3. 開(あ)く ｜ ドアが開きます　銀行(ぎんこう)は9時(じ)に開きます
4. 閉(し)まる ｜ ドアが閉まります　あの店(みせ)は10時(じ)に閉まります
5. 外(はず)れる ｜ ボタンが外れます
6. 止(と)まる ｜ 時計(とけい)が止まります　エレベーターが止まります

Ⅱ. 使い方

1. 新(あたら)しい**住所**と電話(でんわ)**番号**を教(おし)えてください。
2. デパートでもらった紙(かみ)の**袋**は捨(す)てません。また使(つか)います。

3. 大切(たいせつ)なカードを**落として**しまいました。

4. 車(くるま)が**汚れて**います。彼女(かのじょ)が乗(の)る前(まえ)に、**洗わ**なければなりません。

5. きのう**覚えた**漢字(かんじ)をもう**忘れて**しまいました。

6. このホテルは山(やま)**側**の部屋(へや)が海(うみ)**側**の部屋より高(たか)いです。

7. エレベーターが**止まり**ました。ドアが**開き**ません。

8. 子(こ)どもが家(いえ)に帰(かえ)りました。上着(うわぎ)のボタンが**外れて**いるし、ごみがたくさん**付いて**いるし、ズボンは**汚れて**います。

Ⅲ. 書き方

番	ノ	⺈	丆	立	平	采	㸙	畨	番
号	丨	𠃍	口	旦	号				
袋	亻	亻一	代	代	代	岱	袋	袋	袋
忘	丶	亠	亡	亡	忘	忘	忘		
落	一	艹	艹	茫	莎	茨	落	落	落
汚	丶	冫	氵	氵一	汚	汚			
洗	丶	冫	氵	氵	氵	汁	泩	洗	洗
付	ノ	亻	仁	付	付				
覚	丷	丷丶	⺍	⺍	𰀁	常	覚	覚	覚
調	亠	言	言	訂	訂	訶	調	調	調
取	一	丅	F	F	耳	耳	取	取	
辺	乛	刀	刀	辺	辺				
側	亻	亻	仴	但	佀	俱	俱	側	側

29 漢字博士

I．タスク：漢字を作ってください。

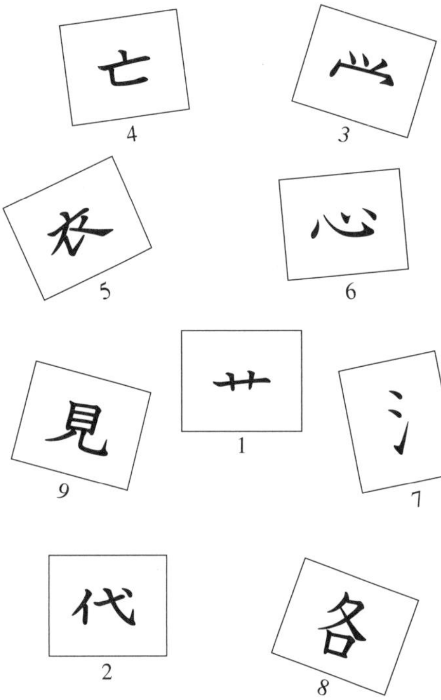

亡 4　⺍ 3　衣 5　心 6　見 9　艹 1　氵 7　代 2　各 8

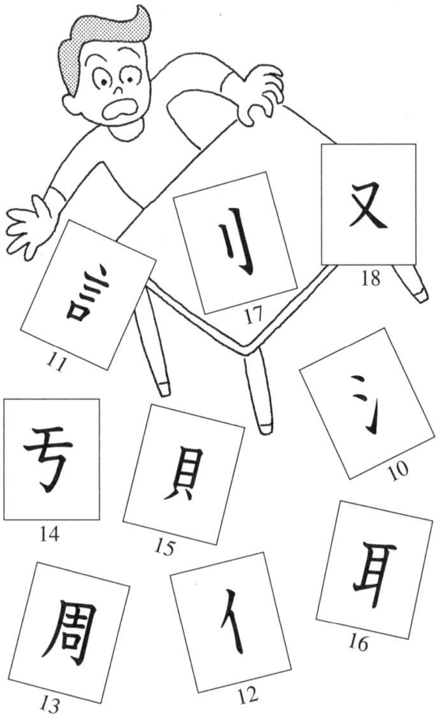

言 11　刂 17　又 18　亏 14　貝 15　氵 10　周 13　亻 12　耳 16

解答　I．1+7+8 落　2+5 袋　3+9 覚　4+6 忘　10+14 汚　11+13 調　12+15+17 側　16+18 取

Ⅱ. タスク：（　　）に a.～c. のどれを入れますか。

a. **外**れて　b. **外**国　c. **外**

1. うちの中は暖かいですが、（　　　）は寒いです。
2. 父は（　　　）の会社で仕事をしています。
3. シャツのボタンが（　　　）います。

a. **開**いて　b. **開**けて

4. 窓を（　　　）ください。
5. 銀行はまだ（　　　）いません。9時からです。

a. **閉**まって　b. **閉**めて

6. 教室のかぎが（　　　）います。
7. ドアを（　　　）ください。

Ⅲ. 読み物

忘れ物市*1

電車や駅の**忘れ物**、落とし物*2で多い物は+傘です。傘の**忘れ物**は1年で30万本あります。服、+財+布、カメラ、ケータイなども多いです。

持ち主*3がわからない傘は6か月後*4に、デパートなどで安く売ります。1本10円ぐらいですから、人気があります。

どうして傘が多いと思いますか。

①傘の**忘れ物**は**取り**に来る人が少ないから。

②**忘れた**人は**忘れた**ことを**忘れて**いるから。

③それは**忘れ物**ではないから。（ごみを捨てた。）

あなたはどう思いますか。

*1 忘れ物市 lost article fair　*2 落とし物 lost article　*3 持ち主 owner　*4 ～後 after ～

解答　Ⅱ. 1. c　2. b　3. a　4. b　5. a　6. a　7. b

30　皿 隅 机 引 箱 置 片

皿	隅	机	引	箱	置	片
241	301	329	309	463	453	227

Ⅰ．読み方

A

1．お**皿**(さら)	大(おお)きいお**皿**　小(ちい)さいお**皿**　お**皿**を洗(あら)います
2．**隅**(すみ)	部屋(へや)の**隅**　引(ひ)き出(だ)しの**隅**
3．**机**(つくえ)	**机**の上(うえ)　**机**の下(した)　**机**の横(よこ)
4．**引**(ひ)き出(だ)し	机(つくえ)の**引**き出し　**引**き出しの中(なか)　**引**き出しにしまいます
5．**箱**(はこ)	**箱**の中(なか)　ビールの**箱**　紙(かみ)の**箱**　**箱**にしまいます
6．ごみ**箱**(ばこ)	駅(えき)にごみ**箱**がありません　部屋(へや)の隅(すみ)にごみ**箱**があります
7．**置**(お)く	お皿(さら)の横(よこ)にフォークを**置**きます
8．**片**(かた)づける	机(つくえ)の上(うえ)を**片**づけます　道具(どうぐ)を**片**づけます
9．**復**習(ふくしゅう)する	漢字(かんじ)を**復**習します　会話(かいわ)を**復**習します
10．**予**習(よしゅう)する	漢字(かんじ)を**予**習します　会話(かいわ)を**予**習します
11．**予約**(よやく)する	ホテルを**予約**します　チケットを**予約**します
12．**並**(なら)べる	いすを**並**べます　料理(りょうり)を**並**べます　品物(しなもの)を**並**べます
13．**連絡**(れんらく)する	会議(かいぎ)の時間(じかん)を**連絡**します　メールで**連絡**します

B

1．元(もと)の所(ところ)	元の所に置(お)きます　道具(どうぐ)を元の所にしまいます
2．人形(にんぎょう)	日本(にほん)人形　大(おお)きい人形
3．お知(し)らせ	旅行(りょこう)のお知らせ　パーティーのお知らせ
4．真(ま)ん中(なか)	駅(えき)の真ん中　ロビーの真ん中　部屋(へや)の真ん中

Ⅱ．使い方

1．**引き出し**の**隅**に古(ふる)い手紙(てがみ)がありました。彼女(かのじょ)がくれた手紙です。

2．**机**の上(うえ)にパソコンを**置き**ます。ピアノの上に母(はは)の写真(しゃしん)を**置き**ます。

3．パーティーの前(まえ)に、ビールを**箱**から出(だ)して、冷⁺蔵⁺庫(れいぞうこ)に入(い)れます。いすを**並べて**おきます。

4．あした友達(ともだち)が来(き)ますから、部屋(へや)を**片づけ**ます。

5．習(なら)った漢字(かんじ)を**復習し**ます。それから、あした習う漢字を**予習し**ます。

6．ホテルと飛行機(ひこうき)を**予約し**ました。早(はや)く**予約する**と、安(やす)くなります。

7．部屋(へや)を**片づけ**ました。古(ふる)い**人形**を捨(す)てましたが、母(はは)が拾(ひろ)って、**元の所**に**置き**ました。

8．**お知らせ**の紙(かみ)がはってあります。エレベーターが⁺故(こ)⁺障(しょう)です。

9．ケーキの**真ん中**にチョコレートの**人形**が**置いて**あります。

Ⅲ．書き方

皿	丨	冂	冂	罒	皿				
隅	⺀	阝	阝冂	阝日	阝日	隅	隅	隅	隅
机	一	十	木	木	机				
引	㇆	コ	弓	引					
箱	⺈	𠂉	竹	竹	笁	笨	箱	箱	箱
置	丶	冖	罒	罒	罒	罒	罟	置	置
片	丿	丿	片	片					
復	彳	彳	彳	彳	彳	復	復	復	復
予	㇇	マ	予	予					
約	乙	幺	幺	糸	糸	糸	糹	約	約
並	丶	丷	丷	丷	丷	丷	丷	並	
連	一	𠂇	亓	亘	亘	車	車	連	連
絡	乙	幺	糸	糸	糹	絡	絡	絡	絡

30 漢字博士

Ⅰ. タスク： 線(せん)をかいてください。

1. **ごみ箱** ・　　　・ a. **引き出し**、勉強(べんきょう)
2. **お皿** ・　　　・ b. 子(こ)ども、遊(あそ)ぶ
3. **机** ・　　　・ c. 食(た)べ物(もの)、割(わ)れる
4. **人形** ・　　　・ d. ごみ、捨(す)てる

Ⅱ. タスク：（ア）～（エ）に [a.～c.] のどれを入(い)れますか。

a. **予約**　b. **予習**　c. **復習**

1. 毎晩習(まいばんなら)ったことを（ア　　　）してから、（イ　　　）します。
2. ビデオの（ウ　　　）を忘(わす)れてしまいました。

a. **箱**　b. **ごみ箱**　c. **引き出し**

3. 駅(えき)に（ア　　　）がありません。ごみは家(いえ)で捨(す)てます。
4. パスポートは**机**のいちばん上(うえ)の（イ　　　）にあります。
5. 道(みち)に（ウ　　　）が**置いて**ありました。中(なか)に子犬(こいぬ)*がいました。

* 子犬 puppy

a. **お皿**　b. **並べ**　c. **片づけ**　d. **机**

6. テーブルに（ア　　　）とナイフとフォークを（イ　　　）ます。
7. はさみは（ウ　　　）の引(ひ)き出(だ)しの中(なか)に（エ　　　）ました。

解答(かいとう)　Ⅰ. 2. c　3. a　4. b
Ⅱ. 1. アc　イb　2. ウa　3. アb　4. イc　5. ウa　6. アa　イb　7. ウd　エc

Ⅲ. タスク：（　　）に a. b. のどちらを入(い)れますか。

a. **約**　b. **絡**

1. ホテルを**予**（　　）します。
2. 会社(かいしゃ)に**連**（　　）します。

a. 階　b. **隅**

3. 部屋(へや)の（　　）にいすがあります。
4. 駐車場(ちゅうしゃじょう)は地下(ちか)2（　　）です。

Ⅳ. 読み物

パーティーの準備(じゅんび)

今日は妻(つま)の+誕生日(たんじょうび)です。5時からパーティーをします。友達に**連絡して**おきました。家の中を**片づけて**おかなければなりません。

メモ

2：00　ワインを**箱**から出して、冷(れい)+蔵(ぞう)+庫(こ)に入れておく。

3：00　テーブルの上に花と**お皿**を**置いて**おく。

ナイフとフォークを**並べて**おく。

部屋の+壁(かべ)に妻の好きな絵(え)を+掛(か)けておく。

4：00　部屋の**隅**にCDプレーヤー*を**置いて**おく。

ジャズのCDを5枚(まい)ぐらい**置いて**おく。

プレゼントの日本**人形**を**箱**に入れておく。

*CDプレーヤー CD player

解答(かいとう)　Ⅲ. 1. a　2. b　3. b　4. a

復習 1（～ユニット 30）

I. | 言 | 試 369 | 説 370 | 調 372 | 議 373 |
|---|---|---|---|---|

1. あした英語(えいご)の＿＿(し)験(けん)があります。

2. 会(かい)＿＿(ぎ)は3時(じ)からです。

3. 行(い)き方(かた)を＿＿(せつ)明(めい)してください。

4. 電車(でんしゃ)の時間(じかん)を＿＿(しら)べます。

II. | 辶 | 辺 513 | 通 518 | 連 519 | 遅 521 | 遠 522 | 選 524 |
|---|---|---|---|---|---|---|

1. 電車(でんしゃ)で学校(がっこう)に＿＿(かよ)っています。1時間半(じかんはん)かかります。＿＿(とお)いです。

2. この＿＿(へん)は交通(こうつう)が不便(ふべん)です。

3. 約⁺束(やくそく)の時間(じかん)に＿＿(おく)れてしまいました。

4. ネクタイはいつも自分(じぶん)で＿＿(えら)びます。

5. 来週(らいしゅう)の予定(よてい)を＿＿(れん)絡(らく)します。

解答(かいとう)　I. 1. 試　2. 議　3. 説　4. 調
II. 1. 通、遠　2. 辺　3. 遅　4. 選　5. 連

Ⅲ.

氵	波 277	汚 278	洗 290

1．____の音が聞こえます。
（なみ　おと　き）

2．このお皿は____れていますから、____ってください。
（さら　よご　あら）

Ⅳ.「口」がある字です。（じ）

1．問・答　　____題を読んで、____えを書きます。
（もん　だい　よ　こた　か）

2．台・始　　女の人が____所にいます。何を____めますか。
（おんな　ひと　だい　どころ　なに　はじ）

3．捨・拾　　ごみを____てる人もいます。ごみを____う人もいます。
（す　ひと　ひろ）

4．品・号　　フリーマーケットの____物に番____が付いています。
（しな　もの　ばん　ごう　つ）

Ⅴ. 反対の意味のことばはどれですか。（はんたい　いみ）

1．近い（ちか）⇔ ________　　2．早い（はや）⇔ ________

3．覚える（おぼ）⇔ ________　　4．立つ（た）⇔ ________

5．閉まる（し）⇔ ________

開く（あ）	遅い（おそ）	座る（すわ）	遠い（とお）	忘れる（わす）

解答（かいとう）　Ⅲ. 1. 波　2. 汚、洗　Ⅳ. 1. 問、答　2. 台、始　3. 捨、拾　4. 品、号
Ⅴ. 1. 遠い　2. 遅い　3. 忘れる　4. 座る　5. 開く

31　園 531　飛 252　機 337　将 307　神 340　定 437　顔 406

Ⅰ. 読み方

		語	例
A	1.	動物**園**（どうぶつえん）	新（あたら）しい動物**園**　動物**園**へ行（い）きます
	2.	**飛**行**機**（ひこうき）	**飛**行**機**に乗（の）ります　**飛**行**機**が空港（くうこう）に着（つ）きます
	3.	**将**来（しょうらい）	**将**来の夢（ゆめ）　**将**来、医者（いしゃ）になりたいです
	4.	**神**社（じんじゃ）	古（ふる）い**神**社　小（ちい）さい**神**社　近（ちか）くの**神**社
	5.	予**定**（よてい）	あしたの予**定**　夏休（なつやす）みの予**定**
	6.	**顔**（かお）	かわいい**顔**　おもしろい**顔**　**顔**が小（ちい）さいです
	7.	**受**（う）ける	試験（しけん）を**受**けます　音楽大学（おんがくだいがく）の試験（しけん）を**受**けます
	8.	**決**（き）める	予定（よてい）を**決**めます　大学（だいがく）を**決**めます
B	1.	小説（しょうせつ）	小説を読（よ）みます　小説を書（か）きます
	2.	連休（れんきゅう）	連休に旅行（りょこう）します　連休は家（いえ）でゆっくり休（やす）みます
	3.	本社（ほんしゃ）	本社は東京（とうきょう）です　本社のビルは新（あたら）しいです
	4.	教会（きょうかい）	日曜日（にちようび）は教会へ行（い）きます　教会で友達（ともだち）に会（あ）います
	5.	大学院（だいがくいん）	大学院に入（はい）ります　大学院の学生（がくせい）
	6.	お子（こ）さん	田中（たなか）さんのお子さん　先生（せんせい）のお子さん
	7.	入学試験（にゅうがくしけん）	大学（だいがく）の入学試験　高校（こうこう）の入学試験
	8.	帰（かえ）り	帰りはバスに乗（の）ります　帰りのバスはすいています
	9.	遅（おそ）い	時間（じかん）が遅いです　バスが遅いです　足（あし）が遅いです
	10.	連（つ）れて行（い）く	友達（ともだち）を連れて行きます　家族（かぞく）を連れて行きます
	11.	見（み）つける	おいしい店（みせ）を見つけました　新（あたら）しい仕事（しごと）を見つけました
	12.	月（つき）に	月に１回（かい）、旅行（りょこう）をします　月に２回、映画（えいが）を見（み）ます
	13.	～の方（ほう）	前（まえ）の方に座（すわ）ります　後（うし）ろの方がいいです
	14.	～号（ごう）	のぞみ24号

受　　決
458　　279

Ⅱ. 使い方

1. この**飛行機**は8時(じ)にケネディ空港(くうこう)に着(つ)く**予定**です。
2. 自動車(じどうしゃ)の運転(うんてん)の試験(しけん)を**受け**ます。
3. **将来**、**動物園**で働(はたら)きたいです。
4. 大学(だいがく)を**決める**前(まえ)に、自分(じぶん)が**将来**したいことをよく考(かんが)えます。
5. 田中(たなか)さんの**お子さん**は**大学院**で勉強(べんきょう)しています。
6. 東京(とうきょう)の**本社**へ転勤(てんきん)になりました。東京の西(にし)**の方**で家(いえ)を**見つけ**ました。
   来週(らいしゅう)、家族(かぞく)を**連れて行く予定**です。
7. 家(いえ)に帰(かえ)るとすぐ、**顔**と手(て)と足(あし)を洗(あら)います。

Ⅲ. 書き方

園	丨	冂	冃	冋	冋	園	園	園	園
飛	㇈	㇈	㇈	飞	飞	飛	飛	飛	飛
機	木	木	枚	桜	機	機	機	機	機
将	丨	丬	丬	丬	丬	丬	丬	将	将
神	丶	㇇	礻	礻	礻	礻	神	神	神
定	丶	丷	宀	宀	宁	宇	定	定	
顔	丶	亠	立	产	彦	彦	顔	顔	顔
受	丿	爫	爫	爫	爫	爫	受	受	
決	丶	冫	氵	汀	江	決	決		

31　漢字博士

Ⅰ．タスク：線をかいてください。

1．**飛行機**	・　　・	a．**教会**
2．結婚式	・　　・	b．**動物園**
3．**入学試験**	・　　・	c．空港
4．目　⁺鼻　耳　口	・　　・	d．学校
5．パンダ	・　　・	e．**顔**

Ⅱ．チャレンジ

1．**入学試験**を**受**ける　⇒　**受**験する　take an examination

2．**予定**を**決**める　⇒　**決定**する　determine

3．人に会ったり、何かをしたりするチャンス　⇒　**機**会　chance

4．**顔**の色がいい　⇒　**顔**色がいい　look well

5．だれでも遊べる広い庭　⇒　⁺公**園**　public garden

Ⅲ．タスク

解答　Ⅰ．1．c　3．d　4．e　5．b　　Ⅲ．b

Ⅳ．読み物

将来の夢　1

わたしの家の近くに空港(くうこう)があります。子どものとき、毎日、**飛行機**を見ていました。あんなに[*1]大きくて重い**飛行機**が、空(そら)[*2]を飛(と)んで[*3]いる……どうして、と思いながら。

飛行機がだんだん高く、高く、空(そら)へ……。ワクワクし[*4]ました。空を見ながら思いました。

いつか、あの空の中の景色が見たい。

そして**将来**、**飛行機**のパイロット[*5]になろうと**決め**ました。

[*1] あんなに like that　[*2] 空 sky　[*3] 飛ぶ fly　[*4] ワクワクする be excited
[*5] パイロット pilot

将来の夢　2

Q：わたしは高校３年生です。**将来**、**動物園**の仕事をしたいです。今、**動物園**で仕事をしている方はどうやってその仕事を**見つけ**ましたか。教えてください。

A：こんにちは。わたしは今、**動物園**で働(はたら)いています。大学で生物学(せいぶつがく)[*1]を勉強しました。北海道の⁺牧場(ぼくじょう)でアルバイトもしました。それから、国や市(し)[*2]の**動物園**にたくさん手紙を書きました。その中のひとつの**動物園**から連絡がありました。そして、試験を**受けて**、今この仕事をしています。

動物園の仕事は大変(たいへん)です。時間も体力(たいりょく)[*3]も要(い)ります。でも、あなたの夢ですから、よく考えて、よく勉強して、**将来**を**決めて**ください。⁺応(おう)⁺援(えん)して[*4]います。

[*1] 生物学 biology　[*2] 市 city　[*3] 体力 energy　[*4] 応援する support

32 星 雪 空 夕 済 合 込

星	雪	空	夕	済	合	込
447	467	439	222	294	412	512

Ⅰ. 読み方

A

1.	**星**（ほし）	明（あか）るい**星**　大（おお）きい**星**　冬（ふゆ）の**星**　**星**が見（み）えます
2.	**雪**（ゆき）	白（しろ）い**雪**　**雪**の日（ひ）　**雪**が降（ふ）ります
3.	**空**（そら）	青（あお）い**空**　広（ひろ）い**空**　きれいな**空**　**空**を見（み）ます
4.	**夕**方（ゆうがた）	**夕**方の空（そら）　**夕**方になります　**夕**方から雨（あめ）になります
5.	経**済**（けいざい）	アメリカの経**済**　日本（にほん）の経**済**　経**済**問題（もんだい）
6.	試**合**（しあい）	試**合**があります　試**合**に勝（か）ちます　試**合**に負（ま）けます
7.	間に**合**う（まにあう）	食事（しょくじ）の時間（じかん）に間に**合**います　飛行機（ひこうき）に間に**合**います
8.	**込**む（こむ）	デパートが**込**んでいます　道（みち）が**込**んでいます
9.	**冷**やす（ひやす）	ビールを**冷**やします　冷（つめ）たい水（みず）で**冷**やします
10.	**練**習する（れんしゅうする）	漢字（かんじ）を**練**習します　歌（うた）を**練**習します
11.	**勝**つ（かつ）	試合（しあい）に**勝**ちます　日本（にほん）が**勝**ちました
12.	**続**く（つづく）	雨（あめ）が**続**きます　試合（しあい）が**続**きます　熱（ねつ）が**続**きます
13.	**遊**ぶ（あそぶ）	友達（ともだち）と**遊**びます　⁺公園（こうえん）で**遊**びます　**遊**びに行（い）きます
14.	**最**近（さいきん）	**最**近の学生（がくせい）　**最**近のこと　**最**近、忙（いそが）しいです
15.	国**際**～（こくさい）	国**際**電話（でんわ）　国**際**空港（くうこう）　国**際**結婚（けっこん）

B

1.	水道（すいどう）	ガスと電気（でんき）と水道　水道の水（みず）
2.	調子（ちょうし）	体（からだ）の調子　車（くるま）の調子　調子がいいです
3.	月（つき）	月と星（ほし）　月旅行（りょこう）　月がきれいです　月へ行（い）きます
4.	今夜（こんや）	今夜の予定（よてい）　今夜の天気（てんき）　今夜の12時（じ）
5.	十分な（じゅうぶんな）	十分なお金（かね）　時間（じかん）が十分にあります
6.	運動する（うんどうする）	毎日（まいにち）、運動します　運動する時間（じかん）がありません

冷	練	勝	続	遊	最	際
254	364	346	362	525	449	303

Ⅱ. 使い方

1. 今度(こんど)の日曜日(にちようび)、サッカーの**試合**があります。毎日(まいにち)、朝(あさ)と**夕方**に**練習している**ます。ぜひ**勝ち**たいですから。
2. 3か月前(げつまえ)にたばこをやめました。体(からだ)の**調子**がとてもよくなりました。
3. 大学(だいがく)で**国際経済**を勉強(べんきょう)しています。難(むずか)しいですが、おもしろいです。
4. **今夜**は**空**がとてもきれいです。**南側**の窓(まど)から**月**と**星**が見(み)えます。
5. 道(みち)が**込んで**います。新幹線(しんかんせん)の時間(じかん)に**間に合わ**ないかもしれません。

Ⅲ. 書き方

星	丨	冂	日	日	尸	旦	旱	星	星
雪	一	厂	帀	币	雨	雨	雪	雪	雪
空	丶	丷	宀	穴	穴	空	空	空	
夕	ノ	ク	夕						
済	丶	氵	氵	汁	汶	済	済	済	済
合	ノ	人	亼	今	合	合			
込	ノ	入	入	込	込				
冷	丶	冫	冫	冷	冷	冷	冷		
練	幺	糸	糸	紅	練	練	練	練	練
勝	月	月	月	月	勝	勝	勝	勝	勝
続	幺	幺	糸	紅	続	続	続	続	続
遊	亠	方	方	方	遊	遊	遊	遊	遊
最	冂	日	旦	最	最	最	最	最	最
際	㇇	阝	阝	際	際	際	際	際	際

32 漢字博士

I. まとめ：いろいろな読み方(よみかた)

II. 読み物

1. ダイエット

わたしは毎日、自動車で会社へ行っています。そして、会社でも朝から晩までずっと座っています。そして休みの日は、うちで寝たり、食べたりしています。ずっと運動不足(うんどうぶそく)*1です。それで、太(ふと)って*2しまいました。

彼女(かのじょ)とかけ*3をしました。もし、わたしが5キロやせられた*4ら、わたしの**勝ち**です。彼女がわたしに欲(ほ)しい物を買ってくれます。もし、やせられなかったら、わたしの負(ま)けです。わたしが彼女をニューヨーク旅行に連れて行かなければなりません。

それで、**最近**、**運動**を始めました。1週間に3回(かい)、スポーツクラブへ行っています。**運動して**から、**冷やして**おいたビールを飲みます。最高(さいこう)*5

です。いつも、たくさんビールを飲んでしまいます。

そろそろ*[6]、飛行機を予約したほうがいいかもしれません。

*[1] 運動不足 lack of exercise　*[2] 太る gain weight　*[3] かけ bet　*[4] やせる lose weight
*[5] 最高 best　*[6] そろそろ soon

2．冬の山

わたしは山が好きです。山に登ることが好きです。特に冬の山が好きです。冬の山の星空(ほしぞら)*[1]と風(かぜ)の音が好きです。山のいちばん上まで登って見る雪山(ゆきやま)*[2]の景色は最高(さいこう)*[3]です。

今年も冬の山へ来ました。今日は山小屋(やまごや)*[4]に泊(と)まっています。もう**夕方**です。西の**空**の夕焼(ゆうや)け*[5]がきれいです。東の**空**を見ると、**月**と**星**が出ています。風が冷(つめ)たくなりました。**今夜**は初雪(はつゆき)*[6]が降るかもしれません。

絵(え)の中(なか)に、漢字(かんじ)で書(か)けることばを書いてください。

*[1] 星空 starry sky　*[2] 雪山 snowy mountain　*[3] 最高 best　*[4] 山小屋 hut
*[5] 夕焼け evening glow of sunset　*[6] 初雪 the first snow of the season

33

席	荷	危	険	禁	触	投
503	422	416	300	495	378	319

Ⅰ. 読み方

A	1.	**席**(せき)	予約**席**(よやく) **席**を外(はず)します **席**が近(ちか)いです
	2.	出**席**する(しゅっせき)	忘年会(ぼうねんかい)に出**席**します パーティーに出**席**します
	3.	**荷**物(にもつ)	重(おも)い**荷**物 軽(かる)い**荷**物 **荷**物を持(も)ちます
	4.	**危険**(きけん)	**危険**! **危険**と書(か)いてあります
	5.	立入**禁**止(たちいりきんし)	立入**禁**止の部屋(へや) ここは立入**禁**止です
	6.	使用**禁**止(しようきんし)	このトイレは使用**禁**止です
	7.	**触**る(さわ)	割(わ)れたガラスに**触**らないでください
	8.	**投**げる(な)	ボールを**投**げます
	9.	**吸**う(す)	たばこを**吸**います たばこを**吸**いません
	10.	**伝**える(つた)	田中(たなか)さんに**伝**えます 遅(おく)れると**伝**えてください
	11.	**曲**がる(ま)	右(みぎ)へ**曲**がります あそこを**曲**がります
	12.	**戻**る(もど)	会社(かいしゃ)に**戻**ります 30分(ぷん)で**戻**ります
B	1.	入口(いりぐち)	スーパーの入口 入口のドア 入口の横(よこ)
	2.	出口(でぐち)	駐車場(ちゅうしゃじょう)の出口 出口の前(まえ) 入口(いりぐち)と出口
	3.	始まる(はじ)	10時(じ)に会議(かいぎ)が始まります 学校(がっこう)は4月(がつ)に始まります
	4.	外す(はず)	田中(たなか)は今(いま)、席(せき)を外(はず)しています
	5.	～中(ちゅう)	食事中(しょくじ) 使用中(しよう) 会議中(かいぎ)

Ⅱ. 使い方

1. 飛行機(ひこうき)に乗(の)るとき、いつも窓側(まどがわ)の**席**を取(と)ります。空(そら)から町(まち)を見(み)るのが好(す)きですから。
2. **入口**のドアが開(あ)きません。**出口**から入(はい)ってください。
3. ここは**立入禁止**です。入(はい)らないでください。

4．初(はじ)めて雪(ゆき)に**触り**ました。冷(つめ)たかったです。

5．西口(にしぐち)：どこかおいしいパン屋(や)を知(し)りませんか。

高田(たかた)：ああ、いい店(みせ)がありますよ。あそこを右(みぎ)へ**曲がって**、少(すこ)し行(い)くと、左側(ひだりがわ)にあります。

6．今(いま)から会議(かいぎ)が**始まり**ます。3時(じ)ごろ、**戻り**ます。

7．川田(かわだ)：もしもし、IMCの川田ですが、山田部長(やまだぶちょう)はいらっしゃいますか。

中山(なかやま)：山田は今(いま)、**席**を**外して**いるんですが……。

川田：じゃ、すみませんが、あしたの会議(かいぎ)は来週(らいしゅう)の月曜日(げつようび)になったと**伝えて**いただけませんか。

Ⅲ．書き方

席	丶	亠	广	户	庐	庐	庐	席	席
荷	一	十	艹	艹	芢	芢	芢	苛	荷
危	ノ	ク	⺈	户	厃	危			
険	㇇	阝	阝	阝	阶	阶	陥	険	険
禁	一	十	才	木	林	埜	埜	禁	禁
触	⺈	⺈	角	角	角	觓	触	触	触
投	一	亅	扌	扌	扖	投	投		
吸	丨	口	口	叨	吸	吸			
伝	ノ	亻	仁	仁	伝	伝			
曲	丨	冂	巾	曲	曲	曲			
戻	一	ヨ	ヨ	戸	戸	戻	戻		

33 漢字博士

Ⅰ. まとめ：いろいろな読み方（よみかた）

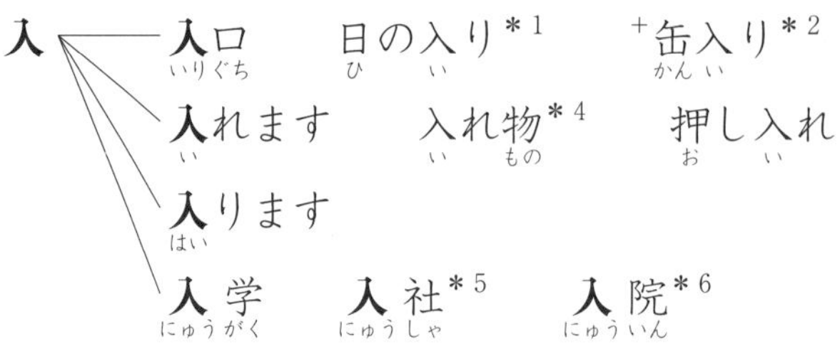

入 ── 入口（いりぐち）　日の入り（ひのいり）*1　+缶入り（かんいり）*2　ビタミン入り（いり）*3
── 入れます（いれます）　入れ物（いれもの）*4　押し入れ（おしいれ）
── 入ります（はいります）
── 入学（にゅうがく）　入社（にゅうしゃ）*5　入院（にゅういん）*6

*1 sunset
*2 canned
*3 containing vitamins
*4 container
*5 enter a company
*6 be hospitalized

Ⅱ. 読み物

1. 運転練習中

わたしは先月から、自動車学校へ行っています。今、運転の練習**中**です。まず、学校の中で運転を練習しました。そして、交通（こうつう）+規（き）+則（そく）を勉強しました。それから、試験を受けました。

そして、きのう、初（はじ）めて外の道を走りました。車は多いし、速（はや）いし、とても怖（こわ）かった*1です。左に**曲がる**とき、急（きゅう）に*2、横に座っていた先生が「止まれ！」と言いました。左側を見ると、自転車が走っていました。もし、先生がいなかったら、交通事（こうつうじ）+故（こ）*3になっていたかもしれません。

来週、高速道（こうそくどう）+路（ろ）*4を走ります。もっと怖いかもしれません。

*1 怖い frightening　*2 急に suddenly　*3 交通事故 traffic accident　*4 高速道路 feeway

漢字忍者

町(まち)などでよく見(み)る漢字(かんじ)

どういう意味(いみ)ですか？

～口

入**口**　出**口**　$^+$非$^+$常**口**(ひじょうぐち)

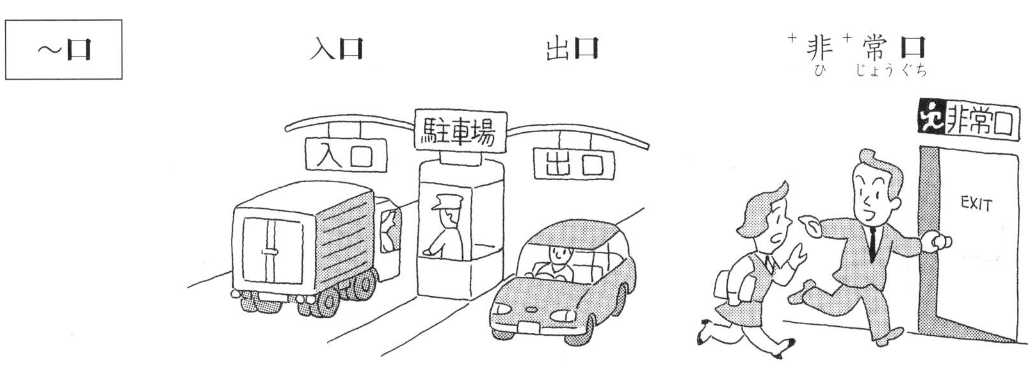

～中

使用(しよう)**中**　営業(えいぎょう)**中**

～禁止(きんし)

使用**禁止**　立入(たちいり)**禁止**　駐車**禁止**

34　組 357　歯 445　菓 423　甘 224　苦 420　磨 506　浴 291

Ⅰ. 読み方

A 1.	番**組**（ばんぐみ）	つまらない番**組**　料理（りょうり）番**組**　スポーツ番**組**
2.	**歯**（は）	**歯**を磨（みが）きます　**歯**が痛（いた）いです
3.	お**菓**子（かし）	お**菓**子を食（た）べます　お**菓**子をもらいました
4.	**甘**い（あま）	**甘**いみかん　**甘**い物（もの）
5.	**苦**い（にが）	**苦**いコーヒー　**苦**いお茶（ちゃ）　**苦**い薬（くすり）
6.	**磨**く（みが）	歯（は）を**磨**きます　ガラスのコップを**磨**きます
7.	**浴**びる（あ）	シャワーを**浴**びます　水（みず）を**浴**びます
8.	**踊**る（おど）	お祭（まつ）りで**踊**ります　彼女（かのじょ）と**踊**ります
9.	**質**問する（しつもん）	先生（せんせい）に**質**問します　**質**問があります
10.	**組**み立てる（く・た）	テーブルを**組**み立てます　自分（じぶん）で**組**み立てます
11.	**回**す（まわ）	おちゃわんを**回**します　右（みぎ）へ**回**します　左（ひだり）へ**回**します
12.	**次**に（つぎ）	**次**に、このボタンを押（お）します
13.	～**回**（かい）	3**回**回（まわ）します　2**回**読（よ）みました　1か月（げつ）に1**回**行（い）きます
B 1.	家具（かぐ）	家具を見（み）ます　家具を買（か）います
2.	説明書（せつめいしょ）	説明書を読（よ）みます　説明書を見（み）ます
3.	図（ず）	図を見（み）ます　図のとおりに組（く）み立（た）てます
4.	茶道（さどう）	茶道の先生（せんせい）　茶道を教（おし）えます　茶道を習（なら）います
5.	歯医者（はいしゃ）	父（ちち）は歯医者です　歯医者に行（い）きます
6.	見つかる（み）	かぎが見つかりました　仕事（しごと）が見つかりません
7.	先に（さき）	先に出（で）かけます　先に行（い）きます　お先にどうぞ

Ⅱ. 使い方

1. 主人（しゅじん）は**甘い**物（もの）が好（す）きです。いつも、食事（しょくじ）の後（あと）で**甘いお菓子**を食（た）べます。

踊　質　回　次
379　464　530　253

2．いい薬(くすり)は**苦い**です。早(はや)くよくなりたいですから、飲(の)みます。

3．息子(むすこ)は５歳(さい)です。まだ一人(ひとり)で**歯**がきれいに**磨け**ません。わたしがもう一度(いちど)、息子の**歯**を**磨き**ます。

4．**質問**がある人(ひと)は手(て)を上(あ)げてください。

5．おじいちゃんは**踊る**ことが好(す)きです。音楽(おんがく)が聞(き)こえると、体(からだ)が動(うご)きます。

6．まだ仕事(しごと)が終(お)わりませんから、**先に**帰(かえ)ってください。

7．スペイン語(ご)を習(なら)いたいんですが、なかなかいい学校(がっこう)が**見つかり**ません。

8．社長(しゃちょう)の話(はなし)が終(お)わりました。**次に**、部長(ぶちょう)の話があります。

Ⅲ．書き方

組	く	幺	幺	糸	糸	糸	糹	紅	組
歯	丨	ト	止	止	歨	歨	歯	歯	歯
菓	一	艹	艹	苎	苗	苴	菓	菓	菓
甘	一	十	廾	甘	甘				
苦	一	十	艹	艹	芏	苄	苦	苦	
磨	亠	广	广	庍	床	麻	麻	摩	磨
浴	冫	氵	氵	沙	浴	浴	浴	浴	
踊	口	早	早	足	跖	跖	踊	踊	踊
質	ノ	厂	斤	斤	斦	斦	質	質	質
回	丨	冂	冂	冋	冋	回			
次	丶	冫	冫	次	次	次			

34　漢字博士

Ⅰ．タスク

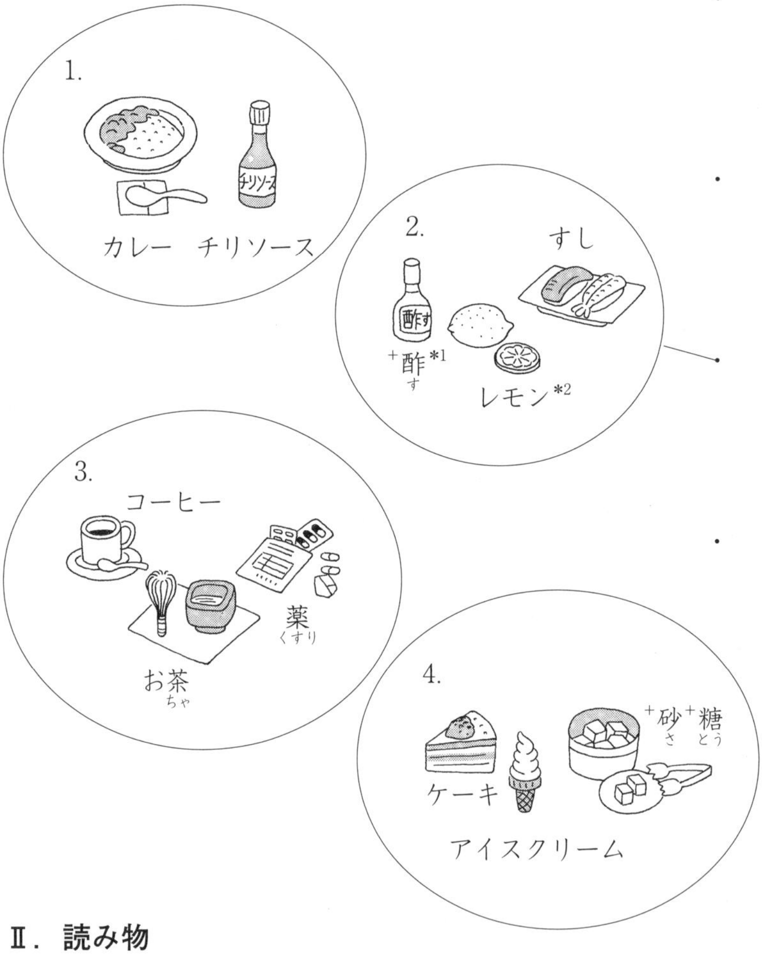

1. カレー　チリソース

2. すし　+酢(す)*1　レモン*2

3. コーヒー　薬(くすり)　お茶(ちゃ)

4. +砂(さ)+糖(とう)　ケーキ　アイスクリーム

・　**甘い**

・　+辛(から)い

・　+酸(す)っぱい*3

・　**苦い**

*1 vinegar
*2 lemon
*3 sour

Ⅱ．読み物

デート*

明(あきら)：おいしいタイ料理のレストランを見つけたんだけど、行かない？

雪(ゆき)：すみません。わたし、+辛(から)い物は、だめなんです。

明：じゃ、フランス料理はどう？　ケーキもおいしいよ。

雪：うーん、**甘い**物もちょっと……。

あー、春は眠いですねえ。

解答(かいとう)　Ⅰ．1. 辛い　3. 苦い　4. 甘い

明：じゃ、**苦い**コーヒーでも飲みに行かない？

雪：あのう、今日は彼(かれ)と**踊り**に行くんです。

明：あ……。

*デート date

漢字忍者

まとめ：漢字(かんじ)の形(かたち)

艹	茶	花	**苦**	若	荷	**菓**	菜	夢	落	薬
	102	121	420	421	422	423	424	426	427	429

1. この野菜(やさい)は**苦い**ですが、体(からだ)にいいです。
2. **茶道**の教室(きょうしつ)にいつも花(はな)があります。春(はる)は春の花、夏(なつ)は夏の花、秋(あき)は秋の花、冬(ふゆ)は冬の花です。教室で**お菓子**を食(た)べて、お茶(ちゃ)を飲(の)みます。

貝	買	貸	負	**質**
	97	114	417	464

1. 先生(せんせい)が難(むずか)しい**質問**をしました。わたしが答(こた)えました。
2. この**質問**に答(こた)えられたら、わたしたちのチームの勝(か)ち、答えられなかったら、負(ま)けです。

广	店	広	度	席	座	庭	**磨**
	109	134	182	503	504	505	506

1. 毎晩(まいばん)、寝(ね)る前(まえ)に、歯(は)を**磨き**ます。
2. 映画(えいが)を見(み)に行(い)きます。早(はや)く行って、いい**席**を見(み)つけようと思(おも)っています。
3. 教室(きょうしつ)では、みんな**席**に**座って**、きのう習(なら)った漢字(かんじ)を復習(ふくしゅう)しています。

35 葉 橋 向 島 港 活 湯

425 336 533 535 296 287 297

Ⅰ. 読み方

A

1. **葉**(は)　花(はな)と**葉**　赤(あか)い**葉**　木(き)の**葉**　**葉**の色(いろ)が変(か)わります
2. **橋**(はし)　長(なが)い**橋**　新(あたら)しい**橋**　**橋**ができました
3. **向**(む)こう　**向**こうの島(しま)　**向**こうの方(ほう)　川(かわ)の**向**こう側(がわ)
4. **島**(しま)　小(ちい)さい**島**　南(みなみ)の**島**　**島**の人(ひと)　**島**に住(す)んでいます
5. **港**(みなと)　古(ふる)い**港**　**港**と空港(くうこう)　外国(がいこく)の船(ふね)が**港**に入(はい)りました
6. 生**活**(せいかつ)　外国(がいこく)の生**活**　学生(がくせい)生**活**　楽(らく)な生**活**
7. **湯**(ゆ)　熱(あつ)いお**湯**　ふろに**湯**を入(い)れます
8. **昔**(むかし)　**昔**の話(はなし)　**昔**の写真(しゃしん)　**昔**の友達(ともだち)
9. **涼**(すず)しい　**涼**しい所(ところ)　**涼**しい日(ひ)　**涼**しい風(かぜ)
10. **結婚**(けっこん)する　来月(らいげつ)**結婚**します　いずみさんと**結婚**します

11. **変**(か)わる　色(いろ)が**変**わります　電話番号(でんわばんごう)が**変**わりました
12. **換**(か)える　ひらがなをかたかなに**換**えます

13. **押**(お)す　スイッチを**押**します　ドアを**押**します

B

1. 受付(うけつけ)　受付の人(ひと)　受付で聞(き)きます
2. 屋上(おくじょう)　ビルの屋上　屋上に上(あ)がります
3. 近所(きんじょ)　近所の店(みせ)　近所の人(ひと)　近所にパン屋(や)があります
4. 所(ところ)　明(あか)るい所　暗(くら)い所　にぎやかな所
5. 夜行(やこう)バス　夜行バスで行(い)きます　夜行バスで寝(ね)ます
6. 機会(きかい)　友達(ともだち)に会(あ)う機会　機会がありません
7. 熱(あつ)い　熱いお湯(ゆ)　エンジンが熱くなります
8. 正(ただ)しい　正しい答(こた)え　正しいやり方(かた)
9. 入力(にゅうりょく)する　日本語(にほんご)を入力します　ローマ字(じ)で入力します
10. 付(つ)ける　ふりがなを付けます　マークを付けます

昔	涼	結	婚	変	換	押
482	293	358	313	478	325	320

Ⅱ. 使い方

1. お正月(しょうがつ)は家族(かぞく)と南(みなみ)の**島**へ行(い)く予定(よてい)です。早(はや)く来(こ)い、来い、お正月。
2. 秋(あき)になると、木(き)の**葉**の色(いろ)が赤(あか)や⁺黄色(きいろ)に**変わり**ます。きれいです。
3. このビルの**屋上**から**港**が見(み)えます。船(ふね)で遠(とお)い国(くに)へ行(い)きたくなります。
4. 日本(にほん)の**生活**に慣(な)れました。**熱い**おふろが好(す)きになりました。
5. 学校(がっこう)で毎日(まいにち)、漢字(かんじ)の**正しい**書(か)き方(かた)を習(なら)います。きれいに書(か)けたとき、うれしいです。

Ⅲ. 書き方

葉	一	艹	廿	芉	芔	芔	苷	華	葉
橋	木	杧	杧	桥	桥	桥	桥	橋	橋
向	丿	亻	冂	向	向	向			
島	丶	丿	户	白	自	鳥	鳥	島	島
港	氵	氵	泔	泔	洪	洪	港	港	港
活	丶	冫	氵	氵	汇	汗	汗	活	活
湯	氵	氵	汩	沪	涅	浧	湯	湯	湯
昔	一	十	廾	丗	丗	昔	昔	昔	
涼	冫	氵	氵	汁	汴	洕	涼	涼	涼
結	乚	幺	幺	糸	糸	糸	紏	結	
婚	𡿨	女	女	奷	姙	姙	婚	婚	婚
変	丶	亠	亣	亦	亦	亦	亦	変	変
換	扌	扌	扌	换	换	换	換	換	換
押	一	十	扌	扌	扣	扣	押	押	

35　漢字博士

I．タスク：漢字(かんじ)を作(つく)ってください。

1. 日本(にほん)の生(せい)［氵］（かつ）
2. ［糸］［女］（けっ こん）する
3. ［木］（はし）が多(おお)い町(まち)
4. ［扌］（お）す
5. 木(き)の［艹世］（は）
6. ［艹一］（むかし）の話(はなし)
7. 南(みなみ)の［鳥］（しま）
8. 色(いろ)が［亦］（か）わる
9. ［埶］（あつ）いお茶(ちゃ)

解答(かいとう)　I．1. 活　2. 結、婚　3. 橋　4. 押　5. 葉　6. 昔　7. 島　8. 変　9. 熱

Ⅱ. まとめ：いろいろな読み方（よみかた）

1. **近**
   - **近**く（ちか）　**近**くの（ちか）　**近**い（ちか）　**近**道（ちかみち）*[1]
   - **近**所（きんじょ）　付**近**（ふきん）*[2]

2. **屋**
   - 部**屋**（へや）　本**屋**（ほんや）　**屋**+根（やね）*[3]
   - **屋**上（おくじょう）　**屋**外（おくがい）*[4]　**屋**内（おくない）*[5]

3. **港**
   - **港**（みなと）　**港**町（みなとまち）*[6]
   - 空**港**（くうこう）　神戸**港**（こうべこう）*[7]　+貿+易**港**（ぼうえきこう）*[8]

4. **熱**
   - **熱**い（あつ）
   - **熱**（ねつ）　**熱**心な（ねっしん）　**熱**湯（ねっとう）*[9]

5. **正**
   - **正**しい（ただ）　**正**す（ただ）*[10]
   - **正**月（しょうがつ）　**正**直な（しょうじき）*[11]

*[1] shortcut
*[2] neighborhood
*[3] roof
*[4] outdoors
*[5] indoors
*[6] port town
*[7] the Port of Kobe
*[8] trading port
*[9] boiling water
*[10] correct
*[11] honest

Ⅲ. 読み物

緑の島（みどり）

この**島**は、緑が多くて、とてもきれいです。+森（もり）*[1]には珍しい（めずら）*[2]木や花があります。珍しい動物も住んでいます。

去年、この**島**に**橋**ができました。**島**の**生活**が**変わり**ました。人もごみも多くなりました。

今日、**近所**の人と山の中や**港**を歩いて、ごみを拾いました。今度、**島**のごみの問題について考える**機会**を作りたいと思います。そして、ごみを捨てた人にも、ごみの問題を考えてもらいたいと思います。

*[1] 森 forest　　*[2] 珍しい not common/very unusual

復習 2（～ユニット 35）

Ⅰ.

木	机 329	横 335	橋 336	機 337

1．＿＿会（きかい）があったら、もう一度（いちど）、日本（にほん）へ来（き）たいです。

2．あの＿＿（はし）を渡（わた）ると、空港（くうこう）です。

3．ごみ箱（ばこ）はあの＿＿（つくえ）の＿＿（よこ）にあります。

Ⅱ.

糸	約 355	経 356	結 358	絡 360	続 362	練 364

1．＿＿婚（けっこん）します。パーティーをするホテルを予＿＿（よやく）しました。

2．友達（ともだち）に連＿＿（れんらく）しました。

3．寒（さむ）い日（ひ）が＿＿（つづ）いています。

4．寒（さむ）くても、毎日（まいにち）テニスの＿＿習（れんしゅう）をします。

5．大（おお）きい試合（しあい）の＿＿験（けいけん）はありません。試合（しあい）に出（で）たいです。

解答（かいとう）　Ⅰ. 1. 機　2. 橋　3. 机、横
Ⅱ. 1. 結、約　2. 絡　3. 続　4. 練　5. 経

Ⅲ.

艹	苦 420	荷 422	菓 423	葉 425	夢 426	落 427

1．この木(き)の＿＿は(は)薬(くすり)になります。とても＿＿(にが)い薬です。

2．将来(しょうらい)の＿＿(ゆめ)は花屋(はなや)を開(ひら)くことです。

3．ケータイを＿＿(お)としてしまいました。

4．タクシーに＿＿(に)物(もつ)を忘(わす)れてしまいました。

Ⅳ.

氵	決 279	活 287	浴 291	涼 293	済 294	港 296	湯 297

1．水道(すいどう)からお＿＿(ゆ)が出(で)ます。日本(にほん)の生(せい)＿＿(かつ)は便利(べんり)です。

2．暑(あつ)いです。シャワーを＿＿(あ)びました。＿＿(すず)しくなりました。

3．経(けい)＿＿(ざい)がよくなりました。駅(えき)や＿＿(みなと)がにぎやかになりました。

4．わたしたちの家(いえ)を＿＿(き)めました。海(うみ)が見(み)える所(ところ)にあります。

Ⅴ.

冫	次 253	冷 254

1．やけどをしました。水道(すいどう)の水(みず)で＿＿(ひ)やしましょう。

2．朝(あさ)、窓(まど)を開(あ)けます。＿＿(つぎ)に花(はな)に水(みず)をやります。

解答(かいとう)　Ⅲ. 1. 葉、苦　2. 夢　3. 落　4. 荷
Ⅳ. 1. 湯、活　2. 浴、涼　3. 済、港　4. 決　Ⅴ. 1. 冷　2. 次

36 野 菜 船 記 泳 初 別

380 424 365 367 283 350 392

Ⅰ．読み方

A

1．**野菜**(やさい)　新(あたら)しい**野菜**　**野菜**の料理(りょうり)　**野菜**ジュース

2．**船**(ふね)　外国(がいこく)の**船**　**船**の旅行(りょこう)　**船**に乗(の)ります

3．日**記**(にっき)　夏休(なつやす)みの日**記**　日**記**を書(か)きます

4．水**泳**(すいえい)　水**泳**が好(す)きです　水**泳**を習(なら)います

5．**初**め(はじ)　**初**めは漢字(かんじ)が全然(ぜんぜん)わかりませんでした

6．特**別**な(とくべつ)　特**別**な日(ひ)　特**別**な人(ひと)　特**別**な料理(りょうり)

7．**泳**ぐ(およ)　海(うみ)で**泳**ぎました　500メートル**泳**ぎました

8．**渡**る(わた)　道(みち)を**渡**ります　橋(はし)を**渡**ります　川(かわ)を**渡**ります

9．**過**ぎる(す)　5時(じ)を**過**ぎます　京都駅(きょうとえき)を**過**ぎました

10．**違**う(ちが)　**違**う国(くに)の人(ひと)　ことばが**違**います　サイズが**違**います

11．**慣**れる(な)　**慣**れない仕事(しごと)　新(あたら)しい生活(せいかつ)に**慣**れました

12．**必**ず(かなら)　**必**ず行(い)きます　**必**ず連絡(れんらく)してください

B

1．曲(きょく)　ショパンの曲　静(しず)かな曲　有名(ゆうめい)な曲

2．気持(きも)ち　子(こ)どもの気持ちがわかりません　気持ちを伝(つた)えます

3．戻(もど)す　使(つか)った物(もの)を元(もと)の所(ところ)に戻します

Ⅱ．使い方

1．Ａ：体(からだ)にいいことをしていますか。

　　Ｂ：**野菜**をたくさん食(た)べるようにしています。

2．Ａ：何(なに)か運動(うんどう)をしていますか。

　　Ｂ：**水泳**をしています。毎週(まいしゅう)、日曜日(にちようび)にプールへ行(い)きます。

3．**船**で旅行(りょこう)しました。これは旅行のとき書(か)いた**日記**です。この日(ひ)は天気(てんき)が悪(わる)くて、風(かぜ)が強(つよ)くて、波(なみ)が高(たか)かったです。**船**を降(お)りたかったです。

渡	過	違	慣	必
295	520	523	306	231

4. 橋ができました。あの島へ、今まで**船**で**渡って**いましたが、車で**渡れる**ようになりました。
5. 好きな食べ物が**違い**ます。好きな映画が**違い**ます。好きなスポーツが**違い**ます。でも、わたしは彼が好きです。
6. 使った物は**必ず**元の所に**戻し**ます。部屋はいつも片づいています。
7. 今日は**特別な**日ですから、**特別な**料理を作って、待っていました。もう、12時を**過ぎ**ました。でも、妻はまだ帰りません。

Ⅲ. 書き方

野	｀	口	日	甲	里	里	里	野	野
菜	一	艹	艹	艹	艹	芯	苎	苹	菜
船	ノ	丿	月	舟	舟	舟	舡	舩	船
記	丶	亠	亠	言	言	言	訁	訂	記
泳	丶	冫	氵	氵	汀	汸	泳	泳	
初	丶	ラ	ネ	ネ	衤	衤	初		
別	丨	口	口	号	另	別	別		
渡	氵	氵	氵	汁	沪	浐	浐	渡	渡
過	冂	冂	冂	冎	冎	咼	咼	咼	過
違	ノ	ナ	五	吾	吾	韋	韋	違	違
慣	丷	忄	忄	忄	惈	慣	慣	慣	慣
必	丶	ソ	义	必	必				

36 漢字博士

I．タスク：漢字(かんじ)を作(つく)ってください。

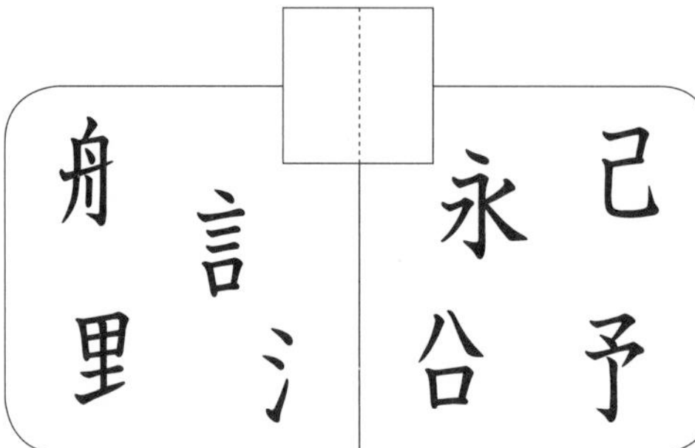

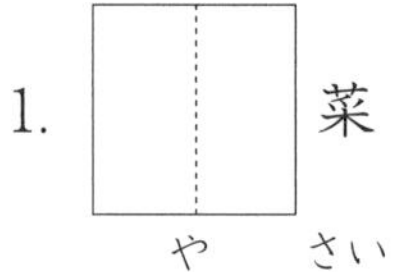
1. □菜(やさい)

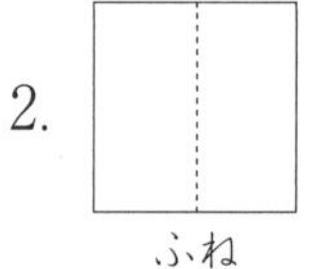
2. □(ふね)

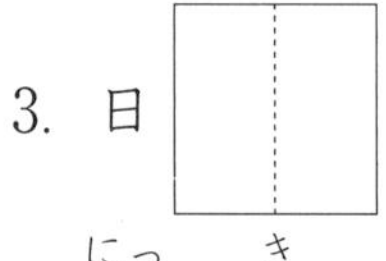
3. 日□(にっき)

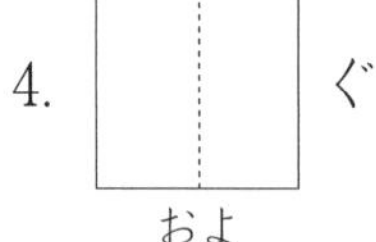
4. □ぐ(およ)

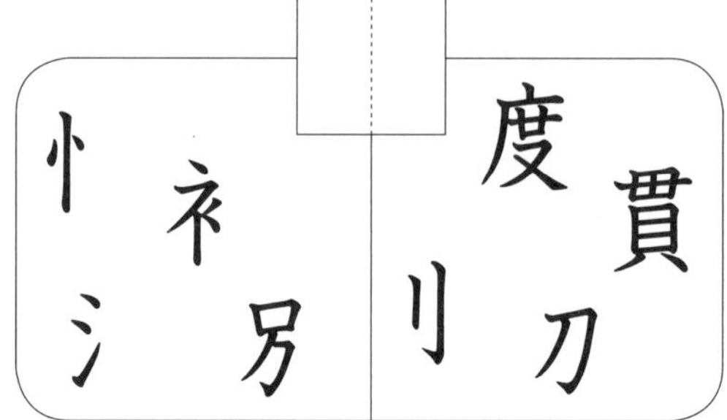

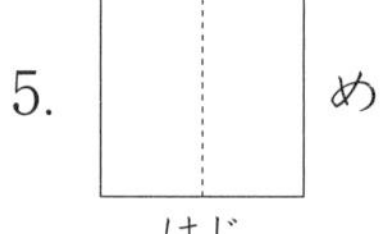
5. □め(はじ)

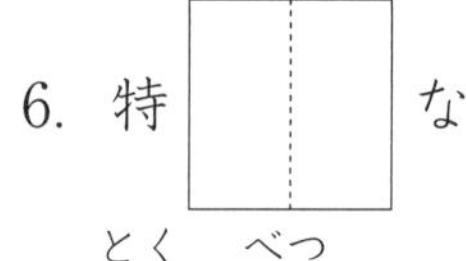
6. 特□な(とくべつ)

7. □る(わた)

8. □れる(な)

解答(かいとう)　I．1. 野　2. 船　3. 記　4. 泳　5. 初　6. 別　7. 渡　8. 慣

Ⅱ. 読み物

若菜(わかな)さんの日記

8月1日（水） 雨

ああ、疲(つか)れた……。東京へ来て、1週間**過ぎた**。新しい会社で働(はたら)いて、今日で3日目。生活も、仕事も、全然(ぜんぜん)**違う**から、大変(たいへん)だ。早く**慣れ**なければならない。

8月4日（土） ⁺晴(は)れ

今日は土曜日。休みだった。昼までゆっくり寝て、それから、海へ行った。天気がよかったから、**泳いだ**。それから、おいしい物を食べて、ビールを飲んだ。……ああ、楽しかった。

漢字忍者

「気」を使(つか)ったことば

1. 元**気**な人
2. 病**気**の人
3. **気**分
4. **気**分がいい
5. **気**分が悪い
6. **気**持ち
7. **気**持ちがいい feel comfortable
8. **気**持ちが悪い feel sick, be unpleasant
9. **気**が長い be patient
10. **気**が短い be short-tempered
11. **気**が強い be strong-willed
12. **気**が弱い be weak-willed

13. **気**が大きい feel well-off
14. **気**が小さい be timid
15. **気**が楽(らく)な feel easy
16. **気**が合(あ)う be congenial
17. **気**が変わる change one's mind
18. **気**をつける
19. **気**がつく
20. **気**を使う take care, be considerate
21. **気**にする mind, worry
22. **気**になる feel uneasy
23. **気**を落とす be discouraged, be disappointed

37　絵　寺　池　石　油　原　輸

361　432　276　473　280　502　377

Ⅰ．読み方

A

1．**絵**（え）　　花の**絵**　魚の**絵**　動物の**絵**をかきます

2．お**寺**（てら）　　古いお**寺**　お**寺**と神社　お**寺**を建てます

3．**池**（いけ）　　小さい**池**　お寺の庭に**池**があります

4．**石油**（せきゆ）　　**石油**を輸入します　船で**石油**を運びます

5．**原**料（げんりょう）　　ビールの**原**料　**原**料を輸入します

6．**輸**出する（ゆしゅつ）　　車を**輸**出します　製品を**輸**出します

7．**輸**入する（ゆにゅう）　　石油を**輸**入します　原料を**輸**入します

8．**呼**ぶ（よ）　　子どもを**呼**びます　母に**呼**ばれました

9．**頼**む（たの）　　仕事を**頼**みます　娘に買い物を**頼**みます

10．**注**意する（ちゅうい）　　先生に**注**意されました　近所の人に**注**意されました

11．**招**待する（しょうたい）　　パーティーに**招**待します　友達を**招**待します

B

1．金（きん）　　本物の金　本物の金でできています

2．金色（きんいろ）　　金色の建物　金色の車　金色のロボット

3．本物（ほんもの）　　本物の金　本物のパンダ

4．大変な（たいへん）　　大変な仕事　大変な１日

5．汚す（よご）　　服を汚します　川を汚します　海を汚します

6．行う（おこな）　　会議を行います　２月に入学試験が行われます

7．～中（じゅう）　　日本中　世界中　世界中で読まれています

Ⅱ．使い方

1．イタリアへ**絵**の勉強に行きます。イタリア語も勉強したいです。

2．京都の**お寺**へ行きました。有名な**お寺**です。700年前に建てられました。

呼	頼	注	招
316	404	288	322

3．**お寺**に**金色**の建物(たてもの)があります。建物の前(まえ)に**池**があります。

4．日本(にほん)は**石油**を**輸入して**います。**石油**はいろいろな製品(せいひん)の**原料**になります。

5．オーストラリアの肉(にく)は安(やす)くて、おいしいです。ですから、いろいろな国(くに)へたくさん肉を**輸出して**います。

6．先生(せんせい)に**呼ばれて**、**注意され**ました。今日(きょう)も宿題(しゅくだい)を忘(わす)れましたから。

7．週末(しゅうまつ)はいつも、友達(ともだち)をわたしの船(ふね)に**招待して**、パーティーをします。

8．ワインを友達(ともだち)に**頼み**ました。友達の仕事(しごと)はワインの**輸入**です。

Ⅲ．書き方

絵	㇜	幺	糸	糸	糸𠆢	紒	絵	絵	絵
寺	一	十	土	𡈼	寺	寺			
池	丶	冫	氵	氵𠃌	氵力	池			
石	一	丆	丆	石	石				
油	丶	冫	氵	氵丨	氵冂	氵由	油	油	
原	一	厂	厂	厂	厂	原	原	原	原
輸	一	亘	車	車𠆢	車𠆢	車𠆢	輸	輸	輸
呼	丨	冂	口	口	口	口	口	呼	
頼	一	一	申	束	束	束	頼	頼	頼
注	丶	冫	氵	氵	氵亠	汀	汒	注	
招	一	十	扌	扌	扌	扌	招	招	

37　漢字博士

I．タスク：漢字(かんじ)を作(つく)ってください。

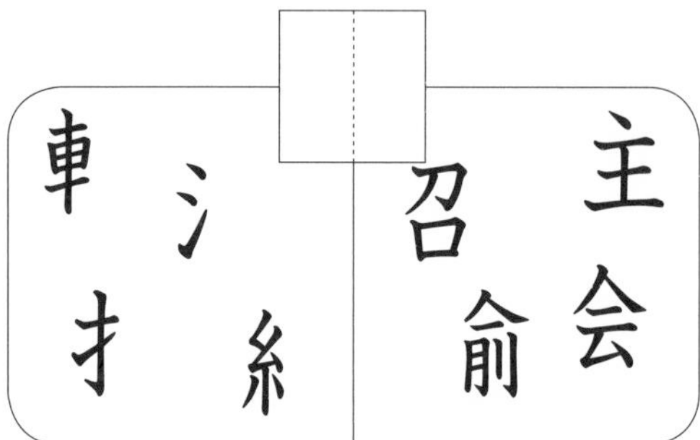

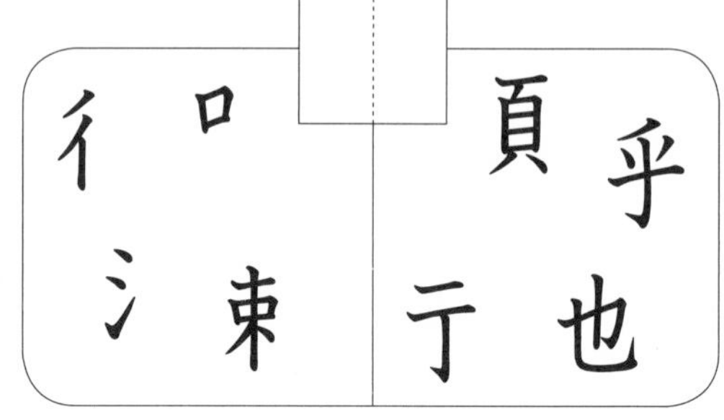

1. □（え）

2. □意する（ちゅう）

3. □待する（しょうたい）

4. □出する（ゆしゅつ）

5. □（いけ）

6. □ぶ（よ）

7. □む（たの）

8. □う（おこな）

解答(かいとう)　I．1. 絵　2. 注　3. 招　4. 輸　5. 池　6. 呼　7. 頼　8. 行

Ⅱ. チャレンジ：ことばの意味を考えてください。

1．**輸**：1）**輸**出　2）**輸**入　3）**輸**送　4）空**輸**

2．**注**：1）**注**意　2）**注**目　3）**注**文

Ⅲ. タスク：文に合うことばを選んでください。

1．午後3時から、会議を（ **行い** ・ 行き ）ます。

2．友達のコンサートに（ **注意され** ・ **招待され** ）ました。

3．友達にコンピューターの修理を（ **呼ばれ** ・ **頼まれ** ）ました。

4．服が（ 汚れ ・ **汚さ** ）ないように、気をつけてください。

5．わたしの国は米をたくさん作っています。そして、外国へ（ **輸出して** ・ **輸入して** ）います。

Ⅳ. 読み物

+釣り

父は釣りが好きです。休みに、よく釣りに行きます。インターネットでアメリカに注文して[*1]**輸入した**釣りの道具がきのう来ました。

今日は、わたしも父といっしょに釣りに行きます。釣りの日は朝が早いです。午前4時に起きなければなりません。

港に着きました。海は静かで、風もあまりありません。今日は船に乗って釣りをしますから、船を**頼んで**おきました。船の人がエンジンの調子を見ています。わたしたちは朝ご飯のパンを食べながら待っています。

船の人がわたしたちを**呼んで**います。海に落ち[*2]ないように**注意して**、船に乗ります。父は新しい道具を持っています。さあ、出発[*3]です。今日は魚がたくさん釣れる[*4]でしょうか。

[*1] 注文する order　[*2] 落ちる fall　[*3] 出発 departure　[*4] 釣る fish

解答　Ⅲ. 1. 行い　2. 招待され　3. 頼まれ　4. 汚れ　5. 輸出して

38 卵 村 岸 工 製 冊 無

251 330 435 223 497 243 469

Ⅰ．読み方

A

1.	**卵**（たまご）	大きい**卵**　小さい**卵**　**卵**を買います
2.	**村**（むら）	小さな**村**　**村**の学校　町と**村**
3.	海**岸**（かいがん）	朝の海**岸**　夜の海**岸**　きれいな海**岸**
4.	**工**場（こうじょう）	**工**場ができました　自動車**工**場
5.	～**製**（せい）	日本**製**　中国**製**　イタリア**製**　イタリア**製**のネクタイ
6.	～**冊**（さつ）	ノートを１**冊**買います　本を２**冊**借ります
7.	**無**理な（むり）	**無**理なダイエット　**無**理をします
8.	**難**しい（むずか）	**難**しい本　**難**しい問題　**難**しい質問
9.	**速**い（はや）	歩くのが**速**いです　食べるのが**速**いです
10.	**育**てる（そだ）	花を**育**てます　野菜を**育**てます　子どもを**育**てます
11.	**負**ける（ま）	テニスの試合に**負**けました　ミラーさんに**負**けました
12.	**散**歩する（さんぽ）	海岸を**散**歩します　⁺公園へ**散**歩に行きます

B

1.	赤ちゃん（あか）	赤ちゃんが生まれました　赤ちゃんが寝ました
2.	研究室（けんきゅうしつ）	研究室は５階です　先生は研究室にいます
3.	習慣（しゅうかん）	いい習慣　悪い習慣　習慣が変わります
4.	危ない（あぶ）	危ない所　危ない物　この川は危ないです
5.	続ける（つづ）	ダイエットを続けます　日本語の勉強を続けます
6.	変える（か）	習慣を変えます　仕事を変えます
7.	見学する（けんがく）	自動車工場を見学します　国会議事堂を見学します
8.	小さな（ちい）	小さな村　小さな手　小さな駅
9.	大きな（おお）	大きな手　大きな木　大きな夢
10.	初めて（はじ）	初めて会いました　初めて食べました

難 速 育 負 散
403 516 493 417 399

Ⅱ．使い方

1．あ、いけない。**卵**を買(か)うのを忘(わす)れた。

2．娘(むすめ)はこの春(はる)、小学校(しょうがっこう)に入学(にゅうがく)します。**村**の小学校はとても小(ちい)さいです。

3．イタリア**製**の車(くるま)、ドイツ**製**の車、アメリカ**製**の車。どれを買(か)いますか。

4．今(いま)、図書館(としょかん)から本(ほん)を２**冊**借(か)りています。あと３**冊**、借りられます。

5．**無理な**ダイエットを**続けて**、病気(びょうき)になってしまいました。あなたも気(き)をつけてください。

6．先生(せんせい)の教(おし)え方(かた)は**速い**です。**難しい**です。

7．りんごを**育てて**います。台風(たいふう)が来(き)ます。心配(しんぱい)です。

Ⅲ．書き方

卵	ノ	𠂆	卬	卯	卯	卵	卵		
村	一	十	才	木	木一	村	村		
岸	丨	山	山	山	屵	屵	岸	岸	
工	一	丅	工						
製	𠂉	𠂉	台	告	制	制	製	製	製
冊	丨	冂	冂	冊	冊				
無	ノ	𠂉	午	午	無	無	無	無	無
難	廿	廿	昔	堇	堇	𦰩	難	難	難
速	一	一	口	日	申	東	涑	涑	速
育	丶	亠	亠	云	育	育	育	育	
負	ノ	⺈	⺈	負	負	負	負	負	負
散	一	廿	廿	廿	昔	昔	散	散	散

38 漢字博士

Ⅰ. タスク：反対の意味のことばを見つけてください。

1. 速い　難しい　無理な

1) 遅い ⇔ ＿＿＿

2) ＋易しい ⇔ ＿＿＿

2. 負ける　続ける　育てる

1) 勝つ ⇔ ＿＿＿

2) やめる ⇔ ＿＿＿

Ⅱ. 読み物

1. わたしの島

わたしが生まれたのは、この島です。子どものとき、この**海岸**の近くに住んでいました。きれいな**海岸**でしょう？

春には、＋貝*1を拾いました。**小さな**貝でネックレス*2を作りました。

夏には、魚といっしょに泳ぎました。**小さな**魚も**大きな**魚も友達でした。

秋、**海岸**は静かです。ここで一人で海を見て、海の向こうの**大きな**町に住みたいと思いました。

この島を出たのは、冬の日でした。風が強い日でした。船から遠くなる島を見ていました。

今、あなたとこの島へ帰って来ました*3。そして、この**海岸**を**散歩して**います。

*1 貝 shell　*2 ネックレス necklace　*3 帰って来る come back

解答　Ⅰ. 1. 1) 速い　2) 難しい　2. 1) 負ける　2) 続ける

2．家庭菜園(かていさいえん)*1

【ご質問(しつもん)*2】

初めて野菜作り(やさいづく)*3にチャレンジします。**育てる**のが**難しい**野菜がありますか。

【お答え(こた)*4】

葉を食べる野菜は**育てる**のが少し**難しい**です。特に、レタスやキャベツはなかなかきれいな形になりません。+根(ね)*5を食べる野菜はあまり**難しく**ないです。

じゃがいもや大根(だいこん)は**初めて**の方でもうまく作れます。実(み)*6を食べる野菜もあまり**難しく**ないですが、きゅうりはすぐ曲がります。トマトはだんだん**小さな**トマトになってしまいます。でも、味は変わりませんよ。

レタス lettuce

キャベツ cabbage

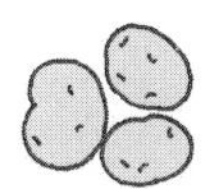
じゃがいも potato

大根 radish

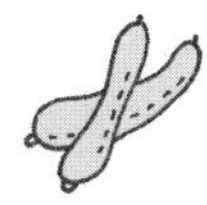
きゅうり cucumber

トマト tomato

*1 家庭菜園 kitchen garden　*2 ご質問 question　*3 野菜作り growing vegetables
*4 お答え answer　*5 根 root　*6 実 fruits

漢字忍者

無	有

「無」は「ない」、「有」は「ある」という意味(いみ)です。「無料(むりょう)」は「お金(かね)を払(はら)わなくてもいい」、「有料(ゆうりょう)」は「お金を払わなければならない」という意味です。

左(ひだり)の自転車(じてんしゃ)駐車場(ちゅうしゃじょう)でお金を払わなければなりませんか。　（　はい　・　いいえ　）

解答(かいとう)　はい

39 震 交 代 複 雑 狭 恥

468 410 257 351 402 308 375

Ⅰ. 読み方

A	1. **地震**(じしん)	大(おお)きい地**震**　地**震**がありました　地**震**が多(おお)いです
	2. **交**通(こうつう)	**交**通が便利(べんり)です　**交**通が不便(ふべん)です
	3. ～**代**(だい)	電気(でんき)**代**　ガス**代**　電話(でんわ)**代**　修理(しゅうり)**代**
	4. **複雑**な(ふくざつ)	**複雑**な漢字(かんじ)　**複雑**な問題(もんだい)　**複雑**な気持(きも)ち
	5. **狭**い(せま)	**狭**い店(みせ)　**狭**い道(みち)　**狭**い部屋(へや)
	6. **恥**ずかしい(は)	**恥**ずかしい話(はなし)　**恥**ずかしい経験(けいけん)
	7. **困**る(こま)	**困**ったこと　**困**ったとき　**困**っています
	8. **死**ぬ(し)	うちの犬(いぬ)が**死**にました　火事(かじ)で二人(ふたり)**死**にました
	9. **倒**れる(たお)	木(き)が**倒**れました　ビルが**倒**れました
	10. 大**勢**(おおぜい)	友(とも)だちが大**勢**います　人(ひと)が大**勢**死(し)にました
	11. **途**中で(とちゅう)	来(く)る**途**中で彼(かれ)を見(み)ました
		旅行(りょこう)の**途**中でお金(かね)を落(お)としました
B	1. 火事(かじ)	大(おお)きな火事　火事がありました　火事が多(おお)いです
	2. お見合(みあ)い	お見合いをします　お見合いパーティーがあります
	3. 汚(きたな)い	汚い手(て)　汚い服(ふく)　汚い川(かわ)　汚い海(うみ)
	4. 通(とお)る	狭(せま)い道(みち)を通ります　コンビニの前(まえ)を通ります
	5. 答(こた)える	先生(せんせい)の質問(しつもん)に答えます
		問題(もんだい)を読(よ)んで、質問に答えます
	6. 安心(あんしん)する	メールを読(よ)んで、安心しました
		声(こえ)を聞(き)いて、安心しました

Ⅱ. 使い方

1. **地震**で古(ふる)いビルが**倒れ**ました。人(ひと)が**大勢**、**死に**ました。

困　死　倒　勢　途

529　343　264　472　517

2. 東京(とうきょう)は**交通**が便利(べんり)です。電車(でんしゃ)**代**も安(やす)いです。

3. **狭い**アパートに住(す)んでいます。東京(とうきょう)は部屋(へや)**代**が高(たか)いですから。

4. **困った**。道(みち)がわからない。だれか**通ったら**、聞(き)こう。

5. 遅(おそ)いですね。まだ来(き)ません。**途中で**何(なに)かあったんでしょうか。

6. 子(こ)どもが「学校(がっこう)へ行(い)かない」と言(い)う。「どうして」と聞(き)いても、**答え**ない。

7. 教室(きょうしつ)で寝(ね)てしまいました。先生(せんせい)に注意(ちゅうい)されました。**恥ずかしかった**です。

8. 彼(かれ)の国(くに)へ出発(しゅっぱつ)します。うれしいです。心配(しんぱい)です。**複雑な**気持(きも)ちです。

Ⅲ. 書き方

震	一	冖	帀	雨	雨	雨厂	雨𠂆	雨辰	震
交	丶	亠	亠	六	亦	交			
代	ノ	亻	亻	代	代				
複	㇇	礻	礻	衤	衤	衤	衤	複	複
雑	ノ	九	杂	杂	杂	杂	杂	雑	雑
狭	ノ	犭	犭	犭	犭	犭	犭	狭	狭
恥	一	丅	下	匡	耳	耳	耳	恥	恥
困	丨	冂	冂	冃	困	困	困		
死	一	厂	歹	歹	歹	死			
倒	亻	亻	亻	亻	亻	倒	倒	倒	倒
勢	十	土	坴	坴	坴	埶	埶	勢	勢
途	ノ	人	亼	今	全	余	余	途	途

39 漢字博士

Ⅰ．タスク：＿＿の読み方を書いてください。

1．**汚**：　**汚**い　**汚**れる

2．**通**：　交**通**　+普**通**　**通**る　**通**う

3．**事**：　火**事**　用**事**　仕**事**

4．**安**：　**安**心する　**安**い

Ⅱ．タスク

1．勢　熱

1) あの学生は＿＿心です。

2) 学生が大＿＿住んでいます。

2．複　復

1) 毎日＿＿習します。

2) この問題は＿＿雑です。

Ⅲ．タスク：反対の意味のことばを見つけてください。

1．1) 心配する ⇔ **安心する**　　**死ぬ**

2) 生まれる ⇔ ＿＿　　**答える**

3) 質問する ⇔ ＿＿　　**安心する**

2．1) きれいな水 ⇔ ＿＿水　　**狭い**

2) 広い道 ⇔ ＿＿道　　**汚い**

解答　Ⅰ. 1. きたない　2. こうつう、とおる　3. かじ　4. あんしんする
Ⅱ. 1. 1) 熱　2) 勢　2. 1) 復　2) 複　Ⅲ. 1. 2) 死ぬ　3) 答える　2. 1) 汚い　2) 狭い

Ⅳ. 読み物

1. 地震

地震がありました。たくさんの建物が**倒れ**ました。**火事**になりました。たくさんの家が焼けました。**大勢**の人が**死に**ました。

交通が止まっています。店が閉まっています。食べ物がもうありません。**困って**いたとき、知らない人が食べ物を分けて[*]くれました。

水道の水が出ません。1日に2回、水を運ぶ車が近くまで来ます。車まで水をもらいに行って、うちへ運びます。重い水を持って歩いていたとき、知らない人が手伝ってくれました。

5年前の冬でした。忘れません。

[*]分ける share

2. いっしょに行きませんか

ここはこの町でいちばんにぎやかな所です。いろいろな店があります。

この道は車は**通り**ません。だから、**安心して**歩けます。おしゃべりし[*1]ながらゆっくり品物を見ましょう。いい物が見つかりましたか。

おいしいレストランがありますから、おなかがすいたら、行きましょう。**狭くて**、**汚い**ですけど、味は最高[*2]です。

おいしいコーヒーの店がありますから、買い物の**途中で**疲れたら、行きましょう。広くて、きれいで、ゆっくり休めます。

[*1]おしゃべりする chat　　[*2]最高 best

40 靴 都 返 表 発 確 残

靴	都	返	表	発	確	残
385	394	514	496	465	353	342

Ⅰ. 読み方

A

1. **靴** ｜ 大(おお)きい**靴**　小(ちい)さい**靴**　赤(あか)い**靴**　**靴**をはきます
2. **都**合(つごう) ｜ **都**合がいいです　**都**合が悪(わる)いです
3. **返**事(へんじ) ｜ **返**事をします　**返**事を書(か)きます
4. **表**(おもて) ｜ 紙(かみ)の**表**　はがきの**表**
5. **発表**(はっぴょう) ｜ **発表**の準備(じゅんび)　**発表**をします
6. **発表**会(はっぴょうかい) ｜ スピーチの**発表**会　ピアノの**発表**会　**発表**会があります
7. **確**かめる(たし) ｜ 電話番号(でんわばんごう)を**確**かめます　場所(ばしょ)と時間(じかん)を**確**かめます
8. **残**る(のこ) ｜ 料理(りょうり)が**残**ります　ビールが**残**っています
9. **数**える(かぞ) ｜ ビールを**数**えます　いすを**数**えます
10. **若**い(わか) ｜ **若**い人(ひと)　**若**い二人(ふたり)　**若**いとき
11. 心**配**な(しんぱい) ｜ 心**配**なこと　あしたの天気(てんき)が心**配**です
12. ～**以**下(いか) ｜ 20キロ**以**下　6歳(さい)**以**下は無料(むりょう)です

B

1. 忘年会(ぼうねんかい) ｜ 忘年会をします　忘年会があります
2. 二次会(にじかい) ｜ 二次会があります　二次会に行(い)きます
3. 合う(あ) ｜ サイズが合いません　この料理(りょうり)はワインと合います
4. ～便(びん) ｜ 107便　JL107便は17時(じ)30分(ぷん)に到着(とうちゃく)します
5. ～本(ほん／ぼん／ぽん) ｜ ビールを3本買(か)います　子(こ)どもの歯(は)は20本あります

Ⅱ. 使い方

1. あしたはちょっと**都合**が悪(わる)いです。あさってなら、いいんですが。
2. 彼女(かのじょ)から**返事**が来(き)ません。いつもすぐ**返事**をくれますから、**心配**です。

3．ここに紙(かみ)を置(お)いてください。**表**が下(した)ですよ。このボタンを押(お)すと、コピーができます。

4．ダンスを習(なら)っています。今度(こんど)、**発表会**があります。毎日(まいにち)、練習(れんしゅう)しています。

5．その話(はなし)はうそかもしれません。**確かめた**ほうがいいです。

6．5時(じ)です。まだ仕事(しごと)が**残って**いるので、残業(ざんぎょう)しなければなりません。

7．10まで**数えて**。……はい、目(め)を開(あ)けてもいいよ。

8．来年(らいねん)、高校(こうこう)を出(で)たら、すぐ結婚(けっこん)します。「**若い**」と言(い)ってみんな心配(しんぱい)しますが、もう決(き)めました。

9．駅(えき)の近(ちか)くのアパートを借(か)りたいです。家賃(やちん)5万円(まんえん)**以下**のがありますか。

Ⅲ．書き方

靴	一	卄	廿	昔	昔	革	靪	靪	靴
都	十	土	耂	耂	者	者	者	者	都
返	一	厂	万	反	反	返	返		
表	一	十	キ	主	丰	耒	表	表	
発	フ	ヌ	ヌ	癶	癶	癶	癶	癸	発
確	石	石	石	砿	砿	砿	砿	確	確
残	一	ア	歹	歹	歹	歹	残	残	残
数	゛	半	米	类	娄	娄	数	数	数
若	一	十	廾	艹	艹	若	若	若	
配	一	厂	冂	丙	两	酉	酉	酉	配
以	丨	レ	レ	以	以				

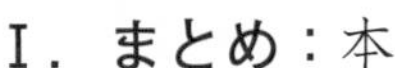

40 漢字博士

Ⅰ. まとめ：本

1本	2本	3本	4本	5本	6本	7本	8本	9本	10本	何本
いっぽん	にほん	さんぼん	よんほん	ごほん	ろっぽん	ななほん	はっぽん	きゅうほん	じゅっぽん	なんぼん

Ⅱ. タスク：____の読(よ)み方(かた)を書(か)いてください。

1. **返**：　<u>**返**事</u>　<u>**返**(かえ)す</u>
2. **残**：　<u>**残**る</u>　**残**業(ざんぎょう)する
3. **表**：　<u>**表**</u>　**表**(ひょう)*　<u>発**表**する</u>
4. **忘**：　<u>**忘**年会</u>　**忘**(わす)れる
5. **次**：　<u>二**次**会</u>　**次**(つぎ)
6. **合**：　<u>**合**う</u>　都**合**(つごう)

*表 chart

Ⅲ. タスク：どちらの漢字(かんじ)ができますか。

1.	癶 ＋ 二 ＋ 儿	＝	□	登	発
2.	歹 ＋ 戋	＝	残	死	残
3.	艹 ＋ 右	＝	□	花	若
4.	米 ＋ 女 ＋ 攵	＝	□	教	数
5.	者 ＋ 阝	＝	□	部	都

Ⅳ. タスク：線(せん)をかいてください。

1. 今年(ことし)もよろしくお願(ねが)いします。　・　　・　a. 新年会(しんねんかい)
2. 今年(ことし)1年(ねん)、お疲(つか)れさまでした。　・　　・　b. **二次会**
3. もう1軒(けん)*、行(い)きませんか。　・　　・　c. **忘年会**
4. 走(はし)れ！負(ま)けるな！　・　　・　d. 運動会(うんどうかい)

(3 — b)

*軒 counter for houses/buildings

解答(かいとう)　Ⅱ. 1. へんじ　2. のこる　3. おもて、はっぴょうする　4. ぼうねんかい　5. にじかい　6. あう
Ⅲ. 1. 発　3. 若　4. 数　5. 都　Ⅳ. 1. a　2. c　4. d

V．読み物

1．クイズ

1）友達20人にクリスマスパーティーの案内(あんない)を出(だ)しました。15人はメールで、5人は電話で**返事**をくれました。電話で**返事**をくれた人はみんな出席です。メールの人は10人出席です。出席する人は全部(ぜんぶ)で何人ですか。

2）パーティーに1,000円**以下**のプレゼントを持って行かなければなりません。わたしは品物を2つ買いました。ちょうど1,000円でした。どれとどれを買いましたか。

a．

200円

b．

150円

c．

500円

d．

800円

e．

950円

2．忘年会

A：今年の**忘年会**、どうするか、決めないと。

B：そうですね。

A：12月は店が込むから、早く予約したほうがいいですよ。

B：じゃ、みんなに、**都合**がいい日を聞きます。

A：去年の店はおいしくなかったですねえ。

B：そうですか。じゃ、今年は違う店でやります。

A：去年はビールが足りませんでしたよ。20**本**頼んだんですけど。

B：そうですか。じゃ、今年は30**本**頼みます。

A：それから、**二次会**はぜひ、カラオケに行きましょうよ。

B：そうですね。考えておきます。

解答(かいとう)　1）15人　2）aとd

復習 3（～ユニット 40）

Ⅰ.

氵	池 276	油 280	泳 283	注 288	渡 295

1. この＿＿（いけ）で＿＿（およ）げますか。
2. ＿＿（わた）りますよ。車（くるま）に＿＿（ちゅう）意（い）してください。

Ⅱ.

辶	込 512	返 514	速 516	途 517	過 520	違 523	遊 525

1. メールの＿＿（へん）事（じ）がなかなか来（き）ません。
2. 図書館（としょかん）へ行（い）く＿＿（と）中（ちゅう）で、山田（やまだ）さんに会（あ）いました。
3. ＿＿（あそ）んでいるとき、時間（じかん）が＿＿（す）ぎるのが＿＿（はや）いです。
4. この道（みち）は＿＿（こ）んでいます。＿＿（ちが）う道（みち）を行（い）きましょう。

Ⅲ. 漢字（かんじ）を作（つく）ってください。

1. 𣞤 ＋ 灬　あまり＿＿（む）理（り）をしないほうがいいですよ。
2. 埶 ＋ 灬　＿＿（あつ）いコーヒーが飲（の）みたいです。
3. 埶 ＋ 力　地震（じしん）で人（ひと）が大（おお）＿＿（ぜい）死（し）にました。

解答（かいとう）　Ⅰ. 1. 池、泳　2. 渡、注　Ⅱ. 1. 返　2. 途　3. 遊、過、速　4. 込、違
Ⅲ. 1. 無　2. 熱　3. 勢

Ⅳ. 反対(はんたい)の意味(いみ)のことばはどれですか。

1．1) 広(ひろ)い ⇔ ＿＿＿＿　2) 速(はや)い ⇔ ＿＿＿＿

3) きれいな ⇔ ＿＿＿＿　4) 冷(つめ)たい ⇔ ＿＿＿＿

5) 暖(あたた)かい ⇔ ＿＿＿＿

熱(あつ)い	遅(おそ)い	汚(きたな)い	涼(すず)しい	狭(せま)い

2．1) 生(う)まれる ⇔ ＿＿＿＿　2) 勝(か)つ ⇔ ＿＿＿＿

3) 遅(おく)れる ⇔ ＿＿＿＿　4) すく ⇔ ＿＿＿＿

込(こ)む	死(し)ぬ	負(ま)ける	間(ま)に合(あ)う

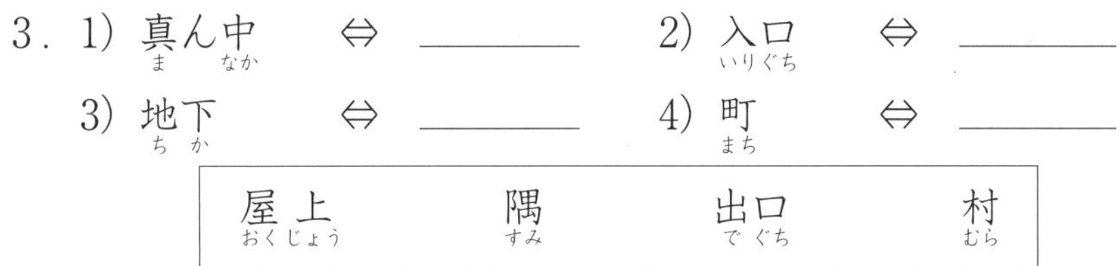

3．1) 真(ま)ん中(なか) ⇔ ＿＿＿＿　2) 入口(いりぐち) ⇔ ＿＿＿＿

3) 地下(ちか) ⇔ ＿＿＿＿　4) 町(まち) ⇔ ＿＿＿＿

屋上(おくじょう)	隅(すみ)	出口(でぐち)	村(むら)

4．1) 終(お)わり ⇔ ＿＿＿＿　2) 今(いま) ⇔ ＿＿＿＿

3) 答(こた)え ⇔ ＿＿＿＿　4) こちら ⇔ ＿＿＿＿

向(む)こう	初(はじ)め	昔(むかし)	質問(しつもん)

解答(かいとう)　Ⅳ. 1. 1) 狭い　2) 遅い　3) 汚い　4) 熱い　5) 涼しい
2. 1) 死ぬ　2) 負ける　3) 間に合う　4) 込む
3. 1) 隅　2) 出口　3) 屋上　4) 村　4. 1) 初め　2) 昔　3) 質問　4) 向こう

41 祝 舞 産 祖 娘 息 文

339 470 455 341 312 486 408

Ⅰ. 読み方

A

1. お**祝**い（いわ） ｜ 入学（にゅうがく）のお**祝**い　お**祝**いをします　お**祝**いをあげます
2. お見**舞**い（みま） ｜ 友達（ともだち）のお見**舞**い　お見舞いに行（い）きます
3. お土**産**（みやげ） ｜ タイのお土**産**　旅行（りょこう）のお土**産**　お土**産**を買（か）います
4. **祖**母（そぼ） ｜ **祖**母の着物（きもの）　**祖**母の写真（しゃしん）　**祖**母を思（おも）い出（だ）しました
5. **娘**（むすめ） ｜ **娘**のパソコン　**娘**の会社（かいしゃ）　**娘**は会社員（かいしゃいん）です
6. **息**子（むすこ） ｜ **息**子の友達（ともだち）　**息**子の小学校（しょうがっこう）　**息**子は８歳（さい）です
7. 作**文**（さくぶん） ｜ 日本語（にほんご）の作**文**　作**文**を書（か）きます
8. **文法**（ぶんぽう） ｜ 日本語（にほんご）の**文法**　英語（えいご）の**文法**　**文法**を習（なら）います
9. 方**法**（ほうほう） ｜ ダイエットの方**法**　いい方**法**　この方**法**でやります
10. **宿**題（しゅくだい） ｜ 英語（えいご）の**宿**題　作文（さくぶん）の**宿**題　**宿**題をします
11. **直**す（なお） ｜ 間違（まちが）いを**直**します　自転車（じてんしゃ）を**直**します
12. 取り**替**える（とか） ｜ 新（あたら）しい袋（ふくろ）と取り**替**えます　シャツを取り**替**えてもらいます
13. **珍**しい（めずら） ｜ **珍**しい動物（どうぶつ）　**珍**しい料理（りょうり）　**珍**しい切手（きって）

B

1. 絵はがき（え） ｜ 絵はがきを買（か）います　絵はがきを送（おく）ります
2. 絵本（えほん） ｜ 絵本を読（よ）みます　絵本をかきます
3. 手袋（てぶくろ） ｜ 黒（くろ）い手袋　赤（あか）い手袋　かわいい手袋　手袋をします
4. 靴下（くつした） ｜ 白（しろ）い靴下　靴下をはきます
5. コピー機（き） ｜ コピー機の使（つか）い方（かた）　コピー機は便利（べんり）です
6. 生け花（いけばな） ｜ 生け花の先生（せんせい）　生け花を習（なら）います
7. 発音（はつおん） ｜ 中国語（ちゅうごくご）の発音　発音が難（むずか）しいです　発音がいいです
8. 上げる（あ） ｜ 給料（きゅうりょう）を上げます　米（こめ）の値段（ねだん）を上げます

法　宿　直　替　珍
285　442　414　483　344

Ⅱ. 使い方

1. この⁺指(ゆび)⁺輪(わ)は25年前(ねんまえ)に、結婚(けっこん)の**お祝い**に母(はは)にもらいました。来月(らいげつ)結婚する**娘**にあげます。
2. **祖母**の**お見舞い**に行(い)きました。「おばあちゃん、早(はや)くよくなってね。」
3. わたしは小学生(しょうがくせい)です。毎日(まいにち)、**宿題**があります。わたしは**宿題**が好(す)きじゃありません。先生(せんせい)は**宿題**が好きですか。
4. 大(おお)きい**手袋**はお父(とう)さんの**手袋**です。小(ち)さい**手袋**はわたしの**手袋**です。
5. 日本語(にほんご)の**発音**は難(むずか)しいです。日本語の**文法**も難しいです。
6. **お土産**に**絵本**を買(か)いました。3冊(さつ)買いました。**息子**は**娘**が3人(にん)います。

Ⅲ. 書き方

祝	丶	ラ	ネ	ネ	礻	礻口	祀	祀	祝
舞	𠂉	𠂉二	無	無	舞	舞	舞	舞	舞
産	丶	亠	立	立	产	产	产	産	産
祖	丶	ラ	ネ	ネ	礻	礻冂	祖	祖	祖
娘	く	女	女	女丶	女	女	娘	娘	娘
息	ノ	丿	白	自	自	自	息	息	息
文	丶	亠	ナ	文					
法	丶	冫	氵	氵	汁	汢	法	法	
宿	宀	宀	宀	宀	宀	宀	宿	宿	宿
直	一	十	十	古	古	直	直	直	
替	一	二	夫	夫	夫	夫	扶	替	替
珍	一	T	千	王	王	王	珍	珍	珍

41　漢字博士

I．タスク：（　　）に a.～c. **のどれを入（い）れますか。**

a．**お土産**　　b．**お見舞い**　　c．**お祝い**

1．結婚（けっこん）する友達（ともだち）に（　　　）にあげる物（もの）

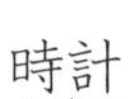

時計（とけい）

コーヒーカップ

エプロン

お金（かね）

2．病気（びょうき）の友達（ともだち）に（　　　）に持（も）って行（い）く物（もの）

本（ほん）

CD

花（はな）

カード

手紙（てがみ）

3．国（くに）から（　　　）に持（も）って来（く）る物（もの）

絵はがき

シャツ

チョコレート

コーヒー

解答（かいとう）　I．1. c　2. b　3. a

Ⅱ．読み物

金婚式(きんこんしき)*1

今年は**祖母**と祖父(そふ)が結婚して、50年目です。だから、みんなで、**お祝い**をしました。

祖母と祖父は子どもが４人います。上から３番目(ばんめ)が母です。母の兄弟はみんな結婚していて、子どもがいます。+孫(まご)は全部(ぜんぶ)で９人です。わたしは７番目の孫です。

小さな旅行をしました。山の中の+温(おん)+泉(せん)に泊(と)まりました。きれいな景色を見て、それからゆっくりおふろに入りました。食事の前に、みんなで写真を+撮(と)りました。この写真です。

料理は祖父と**祖母**が好きな魚や野菜の料理でした。食べて、飲んで、おしゃべりし*2ました。

食事のあとで、プレゼントをあげました。わたしは祖父に赤い**手袋**をあげました。**祖母**に黒い**手袋**をあげました。プレゼントを渡(わた)す*3とき、**お祝い**を言いました。

「おじいちゃん、おばあちゃん、おめでとうございます。これからも元気で、長生(ながい)きして*4ください。」

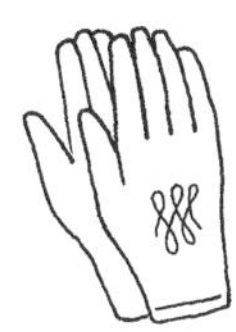

*1 金婚式 golden wedding anniversary　*2 おしゃべりする chat　*3 渡す hand
*4 長生きする live long

42 政 治 化 律 両 緑 欲

398 286 255 274 239 363 397

Ⅰ. 読み方

A

1.	**政治**（せいじ）	日本（にほん）の**政治**　**政治**の話（はなし）　**政治**の勉強（べんきょう）
2.	文**化**（ぶんか）	日本（にほん）の文**化**　中国（ちゅうごく）の文**化**　インドの文**化**
3.	法**律**（ほうりつ）	日本（にほん）の法**律**　シンガポールの法**律**
4.	**両**親（りょうしん）	わたしの**両**親　ご**両**親　**両**親は元気（げんき）です
5.	**緑**（みどり）	**緑**のセーター　**緑**が多（おお）いです　**緑**がありません
6.	**欲**（ほ）しい	**欲**しい物（もの）　車（くるま）が**欲**しいです
7.	必**要**（ひつよう）な	必**要**な物（もの）　お金（かね）が必**要**です
8.	**包**（つつ）む	プレゼントを**包**みます　卵（たまご）でご飯（はん）を**包**みます
9.	**沸**（わ）かす	お湯（ゆ）を**沸**かします　ふろを**沸**かします
10.	**払**（はら）う	お金（かね）を**払**います　電話代（でんわだい）を**払**います
11.	**全**部（ぜんぶ）	**全**部食（た）べます　ボーナスを**全**部使（つか）ってしまいました

B

1.	半分（はんぶん）	ボーナスの半分を使（つか）います　1年（ねん）の半分が過（す）ぎました
2.	のし袋（ぶくろ）	お祝（いわ）いののし袋　のし袋にお金（かね）を入（い）れます
3.	音楽家（おんがくか）	ドイツの音楽家　有名（ゆうめい）な音楽家
4.	教育（きょういく）	子（こ）どもの教育　学校（がっこう）の教育　教育は大切（たいせつ）です
5.	社会（しゃかい）	日本（にほん）の社会　いい社会　社会問題（もんだい）
6.	楽（たの）しみ	ボーナスが楽しみです　夏休（なつやす）みが楽しみです
7.	並（なら）ぶ	1時間（じかん）並びました　お土産屋（みやげや）さんが並んでいます

Ⅱ. 使い方

1. **政治**は大切（たいせつ）だと思（おも）います。わたしは**政治**の勉強（べんきょう）をして、みんなのためにいい**社会**を作（つく）りたいです。

要	包	沸	払	全
477	444	284	318	413

2. 世界(せかい)にはいろいろな国(くに)があります。いろいろな**文化**があります。クラスにはいろいろな国の人(ひと)がいます。**文化**が違(ちが)っても、みんな友達(ともだち)です。
3. 今度(こんど)の日曜日(にちようび)に市役所(しやくしょ)で**法律**相談(そうだん)があります。無料(むりょう)です。
4. 妻(つま)の**両親**といっしょに住(す)んでいます。**両親**は1階(かい)に住んでいます。わたしたちは2階に住んでいます。
5. この町(まち)は**緑**が少(すく)ないです。**緑**が多(おお)い所(ところ)に住(す)みたいです。
6. ふろしきは便利(べんり)です。いろいろな形(かたち)の物(もの)が**包**めます。
7. 彼女(かのじょ)が食事代(しょくじだい)を**払い**ました。わたしがコーヒー代を**払い**ました。

Ⅲ. 書き方

政	一	丅	下	𤴓	正	正丿	正𠂉	政	政
治	丶	冫	氵	氵𠃋	氵ム	治	治	治	
化	丿	亻	亻丿	化					
律	丿	彡	彳	彳𠃌	彳ヨ	彳ヨ	彳𦘒	彳𦘒	律
両	一	一丨	冂	冂丨	両	両			
緑	𠃋	幺	糸	糸フ	糸ヨ	糸ヨ	糸ヨ	糸ヨ	緑
欲	丿	八	𠔉	𠔉	谷	谷	谷𠂉	谷ク	欲
要	一	一丨	冂	襾	襾	覀	覀𡿨	覀女	要
包	丿	勹	勹𠃍	勹己	包				
沸	丶	冫	氵	氵𠃌	氵弓	氵弓	沸	沸	
払	一	十	扌	扌𠃋	払				
全	丿	人	亼	亼一	亼干	全			

42　漢字博士

Ⅰ．タスク：＿＿の読(よ)み方(かた)を書(か)いてください。

1．**育**：　教**育**　**育**(そだ)てる　　　2．**治**：　政**治**　**治**(なお)る

3．**要**：　必**要**な　**要**(い)る

Ⅱ．タスク：＿＿の漢字(かんじ)の読(よ)み方(かた)はどちらですか。

1．　文法　　　　　法律

（ほう・ぽう）　　（ほう・ぽう）

2．　のし袋　　　　手袋　　　　大きい袋

（ふくろ・ぶくろ）　（ふくろ・ぶくろ）　（ふくろ・ぶくろ）

Ⅲ．タスク：何(なに)に使(つか)いますか。線(せん)をかいてください。

1．**のし袋**　・　　・　a．お湯(ゆ)を**沸かす**

2．ふろしき　・　　・　b．物(もの)を**包む**

3．カード　・　　・　c．お金(かね)を入(い)れる

4．やかん　・　　・　d．お金(かね)を**払う**

（1 と c が線で結ばれている）

Ⅳ．読み物

新聞

朝です。新聞が来ます。今日の見出(みだ)し*[1]はとても大きい字です。**政治**の大きいニュースがありましたから。日本の新しい首相(しゅしょう)は山川さんです！山川首相は**経済**と**教育**を変えると言っています。そのために、新しい**法律**を作ると約(やく)+束(そく)しました。

解答(かいとう)　Ⅰ．1．きょういく　2．せいじ　3．ひつよう
Ⅱ．1．ぽう／ほう　2．ぶくろ／ぶくろ／ふくろ　Ⅲ．2．b　3．d　4．a

わたしは野球が好きですから、次にスポーツのニュースを読みます。友達は読売(よみうり)ジャイアンツ*[2]が好きです。わたしは広島東洋(ひろしまとうよう)カープ*[3]が好きです。きのう、カープはジャイアンツに勝ちました。

日曜日には必ず**文化**のページ*[4]も読みます。新しい本や映画や音楽について、いろいろなニュースがあります。

テレビ番組のページを見ると、今晩、有名な小説家(しょうせつか)が出る番組があります。ＮＨＫ*[5]**教育**テレビで、10時からです。ちょっと見てみましょうか。

*[1] 見出し heading　*[2] 読売ジャイアンツ Yomiuri Giants (Japanese pro baseball team)
*[3] 広島東洋カープ Hiroshima Toyo Carp (Japanese pro baseball team)　*[4] ページ page
*[5] NHK Japan Broadcasting Corporation

漢字忍者

1. ～**家**　小説**家**(しょうせつか) novelist　音楽**家**(おんがくか) musician　+専+門**家**(せんもんか) specialist
   画**家**(がか) painter　作**家**(さっか) writer
2. ～**員**　会社**員**(かいしゃいん) company employee　銀行**員**(ぎんこういん) bank employee
   船**員**(せんいん) sailor　駅**員**(えきいん) station employee　店**員**(てんいん) shop clerk
3. ～**手**　運転**手**(うんてんしゅ) driver　歌**手**(かしゅ) singer　選**手**(せんしゅ) player, athlete
4. ～**生**　卒業**生**(そつぎょうせい) graduate　留学**生**(りゅうがくせい) foreign student
   中学**生**(ちゅうがくせい) junior-high school student　学**生**(がくせい) student　先**生**(せんせい) teacher
5. ～**者**　科学**者**(かがくしゃ) scientist　研究**者**(けんきゅうしゃ) researcher　出席**者**(しゅっせきしゃ) person present
   医**者**(いしゃ) doctor　学**者**(がくしゃ) scholar　読**者**(どくしゃ) reader　+忍**者**(にんじゃ) 'ninja'
6. ～**人**　日本**人**(にほんじん) Japanese　中国**人**(ちゅうごくじん) Chinese　外国**人**(がいこくじん) foreigner
   見物**人**(けんぶつにん) onlooker　通行**人**(つうこうにん) passerby　+恋**人**(こいびと) girlfriend, boyfriend

43　米 辞 符 暑 寒 暖 咲

234　366　462　450　443　345　317

Ⅰ．読み方

A

1．**米**（こめ）　白（しろ）い**米**　お**米**とご飯（はん）　**米**を洗（あら）います

2．**辞**書（じしょ）　英語（えいご）の**辞**書　日本語（にほんご）の**辞**書　**辞**書の使（つか）い方（かた）

3．切**符**（きっぷ）　電車（でんしゃ）の切**符**　切**符**を買（か）います

4．**暑**（あつ）い　**暑**い国（くに）　**暑**い日（ひ）　8月（がつ）は**暑**いです

5．**寒**（さむ）い　**寒**い国（くに）　**寒**い日（ひ）　2月（がつ）は**寒**いです

6．**暖**（あたた）かい　**暖**かい部屋（へや）　**暖**かい所（ところ）　**暖**かい日（ひ）

7．**咲**（さ）く　花（はな）が**咲**きます　赤（あか）い花が**咲**いています

8．**消**（き）える　火（ひ）が**消**えます　電気（でんき）が**消**えます

9．**増**（ふ）える　人（ひと）が**増**えます　子（こ）どもが**増**えます　車（くるま）が**増**えます

10．**迎**（むか）える　友達（ともだち）を**迎**えに行（い）きます　友達が**迎**えに来（き）てくれました

11．～**枚**（まい）　切符（きっぷ）を2**枚**買（か）います　コピーが1**枚**足（た）りません

B

1．火（ひ）　たばこの火　ガスの火　火が消（き）えます　火を消（け）します

2．変（へん）な　変な音（おと）　変な味（あじ）　様子（ようす）が変です

3．楽（らく）な　楽なアルバイト　楽な仕事（しごと）

4．上（あ）がる　熱（ねつ）が上がります　円（えん）が上がります

5．下（さ）がる　熱（ねつ）が下がります　円（えん）が下がります

6．落（お）ちる　荷物（にもつ）が落ちます　箱（はこ）が落ちます

7．出発（しゅっぱつ）する　朝（あさ）6時（じ）に出発します　出発の時間（じかん）に遅（おく）れないでください

Ⅱ．使い方

1．**切符**を2**枚**買（か）いました。1**枚**は彼（かれ）の**切符**です。1**枚**はわたしの**切符**です。

消	増	迎	枚
292	299	515	331

2．外(そと)は**暑い**です。部屋(へや)の中(なか)はもっと**暑い**です。エアコンがありませんから。

3．2月(がつ)は**寒い**です。今日(きょう)は特(とく)に**寒い**です。**暖かい**部屋(へや)から出(で)たくないです。

4．**暖かい**春(はる)。**暑い**夏(なつ)。涼(すず)しい秋(あき)。**寒い**冬(ふゆ)。そして、また、**暖かい**春。

5．山(やま)の春(はる)は、まだ**寒い**とき、雪(ゆき)の下(した)の川(かわ)の音(おと)から始(はじ)まります。**暖かく**なって、雪が**消える**と、いろいろな花(はな)が**咲き**ます。

6．花(はな)が**咲いて**います。山(やま)に**咲いて**います。町(まち)にも**咲いて**います。春(はる)ですね。

7．花火(はなび)の音(おと)が聞(き)こえます。屋上(おくじょう)に**上がれば**、見(み)えるかもしれません。

8．台風(たいふう)が来(き)ました。風(かぜ)で木(き)からりんごが**落ち**ました。たくさん**落ち**ました。

9．妻(つま)の様子(ようす)が**変**です。このごろ帰(かえ)りが遅(おそ)いです。

Ⅲ．書き方

米	丶	丷	䒑	半	米	米			
辞	二	千	舌	舌	舌亠	舌丷	舌立	舌辛	辞
符	𠂉	⺮	⺮	⺮	竹ノ	竹亻	竹付	符	符
暑	冂	日	日	旦	昱	昱	昱	暑	暑
寒	宀	宀	宀	宀	宀	宀	宀	実	寒
暖	冂	日	日	日	日	日	日	暖	暖
咲	丨	冂	口	口	口	口	口	咲	咲
消	丶	冫	氵	氵	氵	氵	消	消	消
増	土	土	土	土	土	土	土	増	増
迎	ノ	𠂉	卬	卬	卬	迎	迎		
枚	一	十	才	木	木	木	枚	枚	

43　漢字博士

Ⅰ．タスク：＿＿の読み方を書いてください。

1．**火**：　**火**　花**火**　**火**曜日　**火**事

2．**変**：　**変**な　大**変**な　**変**えます　**変**わります

3．**楽**：　**楽**な　**楽**しい　音**楽**

4．**上**：　**上**がります　**上**げます　**上**ります　**上**　以**上**　**上**手

5．**下**：　**下**がります　**下**げます　**下**　以**下**　**下**手

Ⅱ．タスク

1．花が　・　　・　a．**消え**ます

2．木から　・　　・　b．**咲き**ます

3．お金を　・　　・　c．買います

4．**切符**を　・　　・　d．払います

5．**火**が　・　　・　e．**落ち**ます

Ⅲ．読み物

マッチ売りの少女＊1

アンデルセン＊2

とても**寒い**日です。雪が降っています。もう夕方です。

小さな女の子が１人、歩いています。服は古くて、汚いし、靴をはいていません。とても**寒**そうです。小さな足は赤くなっています。女の子はマッチ＊3を売っています。

でも、マッチを買う人はいません。

解答　Ⅰ．1.ひ　2.へん　3.らく　4.あ　5.さ　Ⅱ．2.e　3.d　4.c　5.a

女の子はとても疲れ(つか)て、おなかがすいています。もう歩けません。女の子は道の片側(かたがわ)[*4]の家の前に、小さくなって座りました。手がとても冷(つめ)たいです。マッチの**火**があれば、少し**暖かく**なるかもしれない。そう思って、女の子はマッチを１本取って、**火**をつけました。

女の子はストーブ[*5]の前にいました。とても**暖かくて**、気持ちがいいです。女の子はストーブに手を近(ちか)づけ[*6]ました。そのとき、マッチの**火**が**消え**ました。ストーブも**消え**ました。

女の子は２本目のマッチをつけました。今度は女の子の前にテーブルがありました。テーブルの上に料理が並んでいます。とてもおいしそうです。でも、食べる前に、マッチの**火**が**消えて**、料理も**消えて**しまいました。

女の子はもう１本、マッチをつけました。女の子はクリスマス・ツリー[*7]の下に座っていました。緑の木のたくさんのろうそく[*8]に**火**がついています。ろうそくの**火**は上へ上へ上(のぼ)って、空の星になりました。星が一つ**落ち**ました。

女の子はもう１本、マッチをつけました。女の子の前に、死んだおばあさんが立っていました。優(やさ)しかったおばあさん。

「おばあさん！わたしもいっしょに連れて行って！」

おばあさんが**消え**ないように、女の子は急いで、残っているマッチ全部に**火**をつけました。

寒い寒い次(つぎ)の朝、小さな女の子が死んでいるのが見つかりました。女の子の前にはマッチがたくさん**落ちて**いました。女の子の顔は[+]幸せ(しあわ)そうでした。

[*1] マッチ売りの少女 The Little Match Girl　[*2] アンデルセン Hans Christian Andersen
[*3] マッチ match　[*4] 片側 one side　[*5] ストーブ heater
[*6] 近づける bring (a thing) close (to)　[*7] クリスマス・ツリー Christmas tree　[*8] ろうそく candle

44 頭 髪 薬 洋 痛 厚 薄

405 479 429 289 511 501 428

Ⅰ. 読み方

A

1. **頭**（あたま） | **頭**がいい人（ひと）　**頭**が痛（いた）いです
2. **髪**（かみ） | 長（なが）い**髪**　短（みじか）い**髪**　黒（くろ）い**髪**
3. **薬**（くすり） | かぜの**薬**　**薬**を飲（の）みます　目（め）の**薬**を買（か）います
4. **洋**食（ようしょく） | **洋**食にします　**洋**食が好（す）きです
5. **痛**い（いた） | 頭（あたま）が**痛**いです　おなかが**痛**いです
6. **厚**い（あつ） | **厚**い紙（かみ）　**厚**い本（ほん）
7. **薄**い（うす） | **薄**い紙（かみ）　**薄**い本（ほん）　**薄**いセーター
8. **太**い（ふと） | **太**いひも　**太**い木（き）　**太**い木を切（き）ります
9. **静**かな（しず） | **静**かな部屋（へや）　**静**かな場所（ばしょ）　**静**かにします
10. **泣**く（な） | 子（こ）どもが**泣**きます　映画（えいが）を見（み）て**泣**きました
11. **笑**う（わら） | 赤（あか）ちゃんが**笑**います　妹（いもうと）はよく**笑**います
12. **割**れる（わ） | コップが**割**れました　ガラスが**割**れました
13. ～**倍**（ばい） | 2**倍**　3**倍**　ビールが去年（きょねん）の2**倍**売（う）れました

B

1. 空気（くうき） | きれいな空気　山（やま）の空気はきれいです
2. 安全な（あんぜん） | 安全な食（た）べ物（もの）　この水（みず）は安全です
3. 眠る（ねむ） | 8時間（じかん）眠ります　よく眠れません
4. 治る（なお） | かぜが治りません　治りにくいです
5. 起きる（お） | 火事（かじ）が起きました　地震（じしん）が起きました

Ⅱ. 使い方

1. 飲（の）みすぎて、**頭**が**痛い**です。食（た）べすぎて、おなかも**痛い**です。
2. 母（はは）は**髪**が白（しろ）いです。父（ちち）は**髪**がありません。
3. この**薬**を飲（の）めば、元気（げんき）100**倍**です。

太 静 泣 笑 割 倍
225 383 282 460 393 261

4. **静かで**、**空気**がきれいな所(ところ)に住(す)みたいです。
5. 赤(あか)ちゃんはおなかがすくと、**泣き**ます。
6. あの子(こ)は**笑う**と、かわいいです。
7. **薄い**ガラスのコップが**割れ**ました。
8. 学校(がっこう)に**太い**⁺桜(さくら)の木(き)があります。
9. 3時間(じかん)**眠れば**、元気(げんき)になります。
10. 地震(じしん)が**起きて**も、火事(かじ)が**起きて**も、**安全な**家(いえ)です。
11. **洋食**より⁺和食(わしょく)が好(す)きです。

Ⅲ. 書き方

頭	一	𠮛	𠮛	豆	豇	豇	頭	頭	頭
髪	丨	𠂆	𠀎	長	髟	髟	髪	髪	髪
薬	一	艹	艹	苜	苜	薬	薬	薬	薬
洋	丶	冫	氵	氵	氵	洋	洋	洋	洋
痛	丶	亠	广	疒	疒	疒	痛	痛	痛
厚	一	厂	厂	厂	厂	厚	厚	厚	厚
薄	艹	艹	艹	薄	薄	薄	薄	薄	薄
太	一	ナ	大	太					
静	十	主	青	青	静	静	静	静	静
泣	丶	冫	氵	氵	汁	汁	泣	泣	
笑	ノ	𠂉	𠂉	竹	竹	笑	笑	笑	笑
割	丶	宀	宀	害	害	害	害	割	割
倍	亻	亻	亻	亻	位	位	倍	倍	倍

44 漢字博士

Ⅰ. まとめ：いろいろな読み方（よみかた）

1. **安**
   - **安**い（やすい）　**安**売り（やすうり）[*1]　**安**物（やすもの）[*2]　円**安**（えんやす）[*3]
   - **安**心する（あんしんする）　**安**全な（あんぜんな）　不**安**な（ふあんな）[*4]

   *1 bargain sale　*2 cheap article　*3 weak yen　*4 uneasy

2. **静**
   - **静**かな（しずかな）
   - 安**静**にする（あんせいにする）[*5]　冷**静**な（れいせいな）[*6]

   *5 rest quietly (in bed)　*6 calm

3. **空**
   - **空**（そら）　青**空**（あおぞら）[*7]　星**空**（ほしぞら）[*8]
   - **空**気（くうき）　**空**港（くうこう）　**空**席（くうせき）[*9]　**空**室（くうしつ）[*10]

   *7 blue sky　*8 starry sky　*9 vacant seat　*10 vacant room

Ⅱ. チャレンジ：習（なら）った漢字（かんじ）でできることば

1. **頭**が　＋　**痛**い　＝　**頭痛**（ずつう）　headache
2. **泣**いている　＋　顔　＝　**泣**き顔（なきがお）　tearful face
3. **笑**っている　＋　顔　＝　**笑**顔（えがお）　smiling face
4. **厚**い　＋　紙（かみ）　＝　**厚**紙（あつがみ）　cardboard
5. **薄**い　＋　紙（かみ）　＝　**薄**紙（うすがみ）　thin paper
6. 目（め）　＋　**薬**　＝　目**薬**（めぐすり）　eye lotion

Ⅲ. タスク：反対（はんたい）の意味（いみ）のことばを見（み）つけてください。

1.	**厚い**	⇔	
2.	**泣く**	⇔	
3.	半分（はんぶん）	⇔	**倍**
4.	危険な（きけんな）	⇔	

倍
薄い
安全な
笑う

解答（かいとう）　Ⅲ. 1. 薄い　2. 笑う　4. 安全な

Ⅳ．読み物

1．山に登る

長い山の道を歩く。足が**痛くて**、**泣いて**いる子ども。**笑い**ながら登る元気な学生。学生に体を押してもらう**髪**の白いおばあさん。やっと山の上に着いたとき、うれしい気持ちは**倍**になる。

山の上は**空気**が**薄くて**、頭が**痛く**なる。でも、きれいな**空気**と**静かな**自然(しぜん)の中で、心(こころ)が洗(あら)われる*。

*心が洗われる feel refreshed

2．あなたはどんな人

あなたはどれですか。○を付(つ)けてください。

a．よく**笑う**　　b．すぐ**泣く**　　c．よく話す　　d．よく考える

e．**頭**がやわらかい*1　　f．冷静(れいせい)*2だ　　g．人の意見を聞かない

h．気が強い　　i．心(こころ)が優(やさ)しい

j．人のために動く*3のが好きだ　　k．いつも元気だ

i．意見をはっきり言う　　m．朝、なかなか起きられない

n．その場(ば)の**空気**が読める*4　　o．**静かな**場所が好きだ

○はいくつありましたか。（　　　）

*1 頭がやわらかい flexible　　*2 冷静な calm　　*3 人のために動く do something for someone

*4 その場の空気が読める be sensitive to situations

45 点 皆 資 給 賃 値 段

点	皆	資	給	賃	値	段
487	490	500	359	499	265	401

Ⅰ. 読み方

		語	例
A	1.	**点**(てん)	いい**点**　100**点**　試験(しけん)の**点**が悪(わる)かったです
	2.	**皆**(みな)さん	**皆**さん、いろいろありがとうございました
	3.	**資**料(しりょう)	会議(かいぎ)の**資**料　**資**料が必要(ひつよう)です
	4.	**給**料(きゅうりょう)	**給**料が安(やす)いです　**給**料をもらいます
	5.	家**賃**(やちん)	家**賃**が高(たか)いです　家**賃**を払(はら)います
	6.	**値段**(ねだん)	米(こめ)の**値段**　**値段**が上(あ)がります
	7.	**風**(かぜ)	強(つよ)い**風**　冷(つめ)たい**風**　**風**が強(つよ)いです
	8.	**働**(はたら)く	本屋(ほんや)で**働**きます　毎日(まいにち)8時間(じかん)**働**きます
	9.	残**念**(ざんねん)です	会(あ)えなくて残**念**でした
B	1.	119番(ひゃくじゅうきゅうばん)	火事(かじ)は119番に電話(でんわ)します
	2.	110番(ひゃくとおばん)	事(じ)⁺故(こ)は110番に知(し)らせます
	3.	中止(ちゅうし)	旅行(りょこう)は中止です　雨(あめ)の場合(ばあい)、コンサートは中止です
	4.	場合(ばあい)	遅(おく)れる場合　地震(じしん)の場合　雨(あめ)の場合
	5.	知(し)らせる	予定(よてい)を知らせます　会議(かいぎ)の時間(じかん)を知らせます
	6.	急(きゅう)に	急に予定(よてい)が変(か)わりました　急に風(かぜ)が冷(つめ)たくなりました
	7.	無理(むり)に	無理に働(はたら)きます　無理に食(た)べます
	8.	以上(いじょう)です	話(はなし)は以上です　発表(はっぴょう)は以上です

Ⅱ. 使い方

1. 試験(しけん)の**点**が悪(わる)かった**場合**は、もう一度(いちど)受(う)けることができます。
2. カリナさんは100**点**です。わたしは0**点**です。
3. **皆**さん、**残念**ですが、パーティーは**中止**です。
4. 天気(てんき)が悪(わる)くて、⁺富(ふ)⁺士山(じさん)が見(み)えません。**残念**です。

風　働　念
532　268　485

5. 兄(あに)は**働き**ながら、勉強(べんきょう)しています。

6. 会議(かいぎ)の**資料**を集(あつ)めています。

7. **家賃**が高(たか)いので、**給料**のいい仕事(しごと)がしたいです。

8. 物(もの)の**値段**は上(あ)がっても、**給料**は上がりません。

9. この村(むら)では**風**の力(ちから)を使(つか)って、電気(でんき)を作(つく)っています。

10. 火事(かじ)の**場合**は**119番**に**知らせて**ください。事(じ)[+]故(こ)の**場合**は**110番**に**知らせ**ます。

11. 空(そら)が**急に**暗(くら)くなって、冷(つめ)たい**風**が強(つよ)くなりました。

12. サイズが小(ちい)さい靴(くつ)を**無理に**はいたので、足(あし)が痛(いた)いです。

13. [+]嫌(きら)いな食(た)べ物(もの)は**無理に**食(た)べなくてもいいですよ。

Ⅲ. 書き方

点	丨	⺊	⺊	占	占	占	点	点	点
皆	一	ヒ	ヒ	比	比	比	皆	皆	皆
資	冫	冫	次	次	次	次	資	資	
給	幺	糸	糸	糸	紒	紒	給	給	給
賃	亻	亻	仁	任	任	任	賃	賃	賃
値	ノ	亻	仁	什	什	佶	値	値	値
段	ノ	亻	丘	丘	丘	丘	段	段	段
風	ノ	几	凡	凡	凨	凨	風	風	風
働	亻	仁	仁	伯	伯	俥	俥	働	働
念	ノ	人	𠆢	今	今	念	念	念	

45　漢字博士

Ⅰ. タスク：違う読み方はどれですか。

1. a. 雨の**場**合は試合は中止になる。
   b. 駐車**場**はあそこにある。
   c. 工**場**を見学する。
2. a. **急**におなかが痛くなった。
   b. **急**行はこの駅に止まらない。
   c. **急**げば、間に合う。

Ⅱ. タスク：（　）にa. b. どちらのことばを入れますか。

1. （　　）を払う。　a. **給料**　b. **資料**
2. （　　）が強い。　a. **風**　b. **空気**
3. 米の（　　）が上がる。　a. **家賃**　b. **値段**
4. 兄は工場で（　　）。　a. 動く　b. **働く**
5. テニスの試合は雨で（　　）になった。　a. 禁止　b. **中止**

Ⅲ. タスク：同じ形がある漢字を書きましょう。

1. 質　負（　）（　）
2. 絵　経　緑（　）
3. 忘　意（　）（　）
4. 百　習（　）
5. 役　投（　）

急　賃　資　給　念　皆　段

解答　Ⅰ. 1. a　2. c　Ⅱ. 1. a　2. a　3. b　4. b　5. b
Ⅲ. 1. 資　賃　2. 給　3. 念　急　4. 皆　5. 段

Ⅳ. クイズ

1. 学生が**働く**ことを何と言いますか。

   a. アルバイト　b. 練習　c. 残業

2. 日本で、火事の**場合**、何番に連絡しますか。

   a. **110番**　b. **119番**　c. 104番

3. あなたが服を買うとき、何をいちばん大切にしますか。

   a. **値段**　b. デザイン　c. 色

4. 見えないのはどれですか。

   a. 星　b. 雪　c. **風**

Ⅴ. チャレンジ

1. **急**に病気になる ⇒ **急**病 sudden illness
2. **急**に用事ができる ⇒ **急**用 urgent business
3. 強い**風** ⇒ 強**風** strong wind
4. 電車に乗るとき払うお金 ⇒ 電車**賃** train fare
5. 新しいことを始めるために準備するお金 ⇒ **資**金 fund

解答　Ⅳ. 1. a　2. b　4. c

復習４（～ユニット45）

Ⅰ.

⺮	笑 460	答 461	符 462	箱 463

1．次(つぎ)の質問(しつもん)に____(こた)えてください。

2．赤(あか)ちゃんが____(わら)っています。

3．切(きっ)____(ぷ)を２枚買(まいか)います。

4．この____(はこ)には何(なに)が入(はい)っていますか。

Ⅱ.

頁	頼 404	頭 405	顔 406	願 407

1．あの歌手(かしゅ)は声(こえ)もいいし、____(かお)もいいし、____(あたま)もいいです。

2．彼(かれ)に____(たの)みましょう。

3．すみません。お____(ねが)いがあるんですが。

Ⅲ.

攵	枚 331	政 398	散 399	数 400

1．コピーが何(なん)____(まい)あるか、____(かぞ)えてください。

2．____(さん)歩(ぽ)しながら話(はな)しました。____(せい)治(じ)について、わたしたちは意見(いけん)が違(ちが)いました。

Ⅳ.

亻	化 255	付 256	代 257	伝 258	低 260	倍 261	側 263	倒 264	値 265	修 266	働 268

1．日本製(にほんせい)の物(もの)は____(ね)段(だん)が____(ばい)ですが、長(なが)く使(つか)えます。

2．彼女(かのじょ)は____(はたら)きすぎです。____(たお)れてしまわないか、心配(しんぱい)です。

3．夏(なつ)は電気____(だい)が高(たか)いです。冬(ふゆ)の____(ばい)かかります。

4．アメリカへ____(はたら)きに行(い)きます。日本(にほん)の文(ぶん)____(か)を____(つた)える仕事(しごと)です。

Ⅴ．「ネ」ですか、「ネ」ですか。書いてください。

1．［　申］（じん）［　土］（じゃ）　2．［　刀］（はじ）めて　3．お［　兄］（いわ）い　4．［　且］（そ）母（ぼ）

Ⅵ．「⺍」がある字はどれですか。

1．宿　今日は＿＿題がたくさんあります。

2．覚　きのうの晩、どうやって家まで帰ったか、＿＿えていません。

3．堂　昼ご飯はいつも会社の食＿＿で食べます。

4．写　旅行の＿＿真を見せてください。

5．寒　＿＿い日が続いています。

Ⅶ．漢字を作ってください。

1．［亻］＋［殳］　車で市＿＿所へ行きました。

2．［扌］＋［殳］　＿＿げたボールが川に落ちました。

3．［𠂤］＋［殳］　野菜の値＿＿が上がりました。

解答　Ⅰ．1. 答　2. 笑　3. 符　4. 箱　Ⅱ．1. 顔、頭　2. 頼　3. 願
Ⅲ．1. 枚、数　2. 散、政　Ⅳ．1. 値、倍　2. 働、倒　3. 代、倍　4. 働、化、伝
Ⅴ．1. ネ、ネ　2. ネ　3. ネ　4. ネ　Ⅵ．1. 5.　Ⅶ．1. 役　2. 投　3. 段

46 彼 因 係 卒 業 相 談

272 528 262 411 459 332 368

Ⅰ. 読み方

A

1. **彼**(かれ) ｜ **彼**はインド人(じん)です　**彼**は学生(がくせい)です
2. **彼**女(かのじょ) ｜ **彼**女は山川(やまかわ)さんの妹(いもうと)さんです
3. 原**因**(げんいん) ｜ 火事(かじ)の原**因**　病気(びょうき)の原**因**　原**因**がわかりません
4. **係**員(かかりいん) ｜ **係**員に聞(き)きます　**係**員に知(し)らせます
5. **卒業**する(そつぎょう) ｜ 大学(だいがく)を**卒業**します　来年(らいねん)**卒業**します
6. **相談**する(そうだん) ｜ 先生(せんせい)に**相談**します　友達(ともだち)に**相談**します
7. **乾**く(かわ) ｜ 空気(くうき)が**乾**いています　シャツが**乾**きました
8. **届**く(とど) ｜ 荷物(にもつ)が**届**きます　メールが**届**きました
9. **焼**く(や) ｜ パンを**焼**きます　魚(さかな)を**焼**きます
10. **焼**ける(や) ｜ 火事(かじ)で家(いえ)が**焼**けました　肉(にく)が**焼**けました

B

1. 具合(ぐあい) ｜ 体(からだ)の具合　パソコンの具合　具合が悪(わる)いです
2. 半年(はんとし) ｜ 半年前(まえ)に日本(にほん)へ来(き)ました
3. 片づく(かた) ｜ 部屋(へや)が片づきました　仕事(しごと)が片づきません
4. 渡す(わた) ｜ 田中(たなか)さんにメモを渡します
5. 向かう(む) ｜ 空港(くうこう)に向かいます　駅(えき)に向かいます
6. 入学する(にゅうがく) ｜ 高校(こうこう)に入学します　四月(しがつ)に入学します

Ⅱ. 使い方

1. **彼**と**彼女**は来年結婚(らいねんけっこん)するので、家(いえ)を買(か)うつもりです。
2. **彼**と**彼女**は別(わか)れました。**原因**はわかりません。
3. この駐車場(ちゅうしゃじょう)には**係員**がいません。
4. 弟(おとうと)は高校(こうこう)を**卒業し**ます。大学(だいがく)に入(はい)る前(まえ)に、**半年**、アメリカに留学(りゅうがく)します。
5. 問題(もんだい)があったら、まず友達(ともだち)に**相談し**ます。

6. 空気(くうき)が**乾いて**いると、火事(かじ)が起(お)きやすいです。

7. 火事(かじ)で大切(たいせつ)な絵(え)が**焼けて**しまいました。

8. 母(はは)から⁺誕生日(たんじょうび)のプレゼントが**届き**ました。母(はは)が**焼いた**ケーキです。

9. 大(おお)きな犬(いぬ)がこちらに**向かって**、走(はし)ってきます。

10. 部屋(へや)を片(かた)づけていたら、昔(むかし)の**彼女**からもらった手紙(てがみ)が見(み)つかりました。

11. 足(あし)の**具合**がよくないので、試合(しあい)には出(で)られません。

12. **彼**にこの本(ほん)を**渡して**ください。

Ⅲ. 書き方

彼	ノ	㇒	彳	彳	彳	彳	彼	彼	
因	丨	冂	冂	冂	因	因			
係	ノ	亻	亻	亻	亻	亻	俘	係	係
卒	丶	亠	亠	亠	亠	亠	亠	卒	
業	丷	丷	业	业	业	丵	丵	業	業
相	一	十	才	木	木	村	相	相	相
談	二	三	言	言	言	言	言	談	談
乾	十	十	古	古	直	卓	卓	卓	乾
届	一	コ	尸	尸	届	届	届	届	
焼	丷	丷	火	火	火	火	焼	焼	焼

46　漢字博士

Ⅰ．まとめ：いろいろな読み方（よみかた）

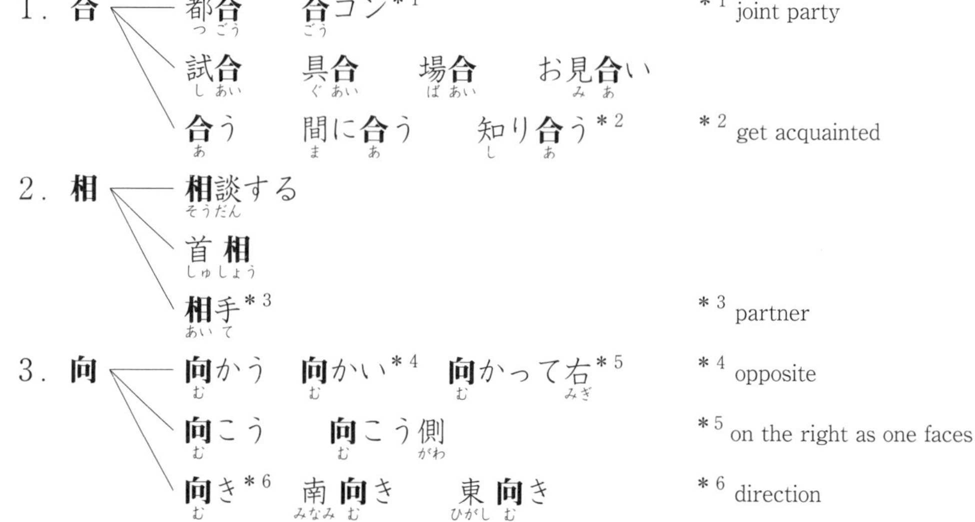

1．**合**
- 都**合**（つごう）　**合**コン[*1]
- 試**合**（しあい）　具**合**（ぐあい）　場**合**（ばあい）　お見**合**い（みあい）
- **合**う（あう）　間に**合**う（まにあう）　知り**合**う（しりあう）[*2]

2．**相**
- **相**談する（そうだん）
- 首**相**（しゅしょう）
- **相**手（あいて）[*3]

3．**向**
- **向**かう（むかう）　**向**かい（むかい）[*4]　**向**かって右（むかってみぎ）[*5]
- **向**こう（むこう）　**向**こう側（むこうがわ）
- **向**き（むき）[*6]　南**向**き（みなみむき）　東**向**き（ひがしむき）

＊1 joint party
＊2 get acquainted
＊3 partner
＊4 opposite
＊5 on the right as one faces
＊6 direction

Ⅱ．タスク：（　　）にａ．ｂ．どちらの漢字（かんじ）を入（い）れますか。

1．父（ちち）に**相**（　　）する。　ａ．段　ｂ．**談**
2．机（つくえ）の上（うえ）が（　　）づく。　ａ．方　ｂ．片
3．火事（かじ）の原（　　）を調（しら）べる。　ａ．**因**　ｂ．員
4．今年大学（ことしだいがく）を**卒**（　　）する。　ａ．**業**　ｂ．形

Ⅲ．読み物

母と娘

ヨーコは子どものときから、自分の気持ち、自分の考え方を大切にする人だった。それは**彼女**の母の教育だった。

ヨーコは高校を**卒業する**と、ニューヨークの音楽学校に**入学した**。そこで会ったギタリスト[*1]と結婚して、女の子が生まれた。３人で日本へ帰ったが、仕事も生活もうまく行かなかった。

解答（かいとう）　Ⅱ．1. b　2. b　3. a　4. a

ヨーコは+夫(おっと)と別(わか)れて*2、娘とまたニューヨークへ**向かった**。それから若い音楽家と結婚した。**彼**は+成(せい)+功(こう)して、有名になった。ヨーコも世界中に名前が知られるようになった。すると*3、ヨーコの前の夫が娘を連れて行ってしまった。ヨーコは娘を返(かえ)してもらいたかった。+弁(べん)+護(ご)+士(し)に**相談して**、何回も娘に手紙を書いたが、その手紙は娘に**届か**なかった。

それから25年後(ご)、音楽家の夫は亡くなって*4、ヨーコは一人になった。ある日、娘から手紙が**届いた**。**彼女**は結婚して、もうすぐ子どもが生まれる。有名な母と、失敗(しっぱい)した父。娘は父を選んだ。そして、**彼女**が母になる日の前に、母に自分の気持ちを伝えたかった。ヨーコは娘の気持ちを知って、うれしかった。

*1 ギタリスト guitarist　*2 別れる part　*3 すると then　*4 亡くなる pass away

漢字忍者

焼くとおいしいよ

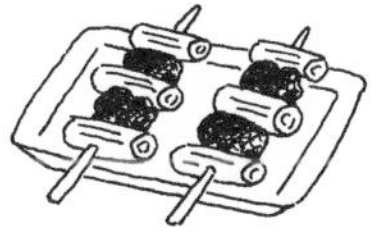

1. **焼**き鳥(とり)
grilled chicken on a skewer

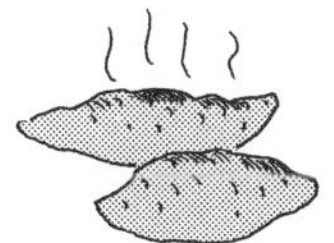

2. **焼**きいも
baked sweet potato

3. **焼**き飯(めし)
fried rice

4. **焼**きそば
Chinese fried noodles

5. お好(この)み**焼**き
grilled pancake with meat and vegetables

6. たこ**焼**き
a type of grilled pancake with octopus

7. 目(め)+玉(だま)**焼**き
fried eggs, sunny-side up

8. 卵(たまご)**焼**き
omelet

47 祭 科 庭 報 実 誌 億

祭	科	庭	報	実	誌	億
494	349	505	386	440	371	269

Ⅰ．読み方

A	1．**祭**(まつ)り	雪(ゆき)**祭**り　夏(なつ)**祭**り　**祭**りが好(す)きです
	2．**科**学(かがく)	**科**学の本(ほん)　**科**学者(しゃ)　社会(しゃかい)**科**学
	3．**庭**(にわ)	小(ちい)さい**庭**　広(ひろ)い**庭**　**庭**で野菜(やさい)を作(つく)ります
	4．天気予**報**(てんきよほう)	天気予**報**を聞(き)きます　天気予**報**を見(み)ます
	5．**実**験(じっけん)	科学(かがく)の**実**験　医学(いがく)の**実**験　**実**験します
	6．雑**誌**(ざっし)	科学(かがく)の雑**誌**　マンガ雑**誌**を読(よ)みます
	7．**億**(おく)	一(いち)**億**二(に)千万人(せんまんにん)　四(よん)**億**年前(ねんまえ)　百(ひゃく)**億**円(えん)
	8．事**務**所(じむしょ)	会社(かいしゃ)の事**務**所　大学(だいがく)の事**務**所　法律(ほうりつ)事**務**所
	9．**怖**(こわ)い	火事(かじ)は**怖**いです　あの先生(せんせい)は**怖**いです
	10．**吹**(ふ)く	風(かぜ)が**吹**きます　強(つよ)い風が**吹**きます
	11．**失敗**(しっぱい)する	試験(しけん)に**失敗**しました　実験(じっけん)は**失敗**しました
	12．**亡**(な)くなる	祖父(そふ)が**亡**くなりました　先生(せんせい)が**亡**くなりました
B	1．交番(こうばん)	駅前(えきまえ)の交番　交番で道(みち)を聞(き)きます
	2．台風(たいふう)	大(おお)きい台風　強(つよ)い台風　台風が来(き)ます
	3．相手(あいて)	結婚(けっこん)の相手　仕事(しごと)の相手　試合(しあい)の相手
	4．人口(じんこう)	中国(ちゅうごく)の人口　日本(にほん)の人口　人口が多(おお)い
	5．文学(ぶんがく)	日本(にほん)文学　中国(ちゅうごく)文学　アメリカ文学
	6．婚約(こんやく)する	彼女(かのじょ)と婚約します　彼(かれ)と婚約します
	7．知(し)り合(あ)う	イタリアで彼(かれ)と知り合いました
	8．別(わか)れる	友達(ともだち)と別れました　駅(えき)で別れました
	9．集(あつ)まる	人(ひと)が集まります　10時(じ)に集まります
	10．入院(にゅういん)する	母(はは)が入院しました　大学病院(だいがくびょういん)に入院します

務	怖	吹	失	敗	亡
354	305	315	232	376	236

Ⅱ．使い方

1．弟(おとうと)は**科学**が好(す)きです。将来(しょうらい)、**科学**者(しゃ)になりたいそうです。

2．**天気予報**によると、**台風**が来(く)るので、あしたは強(つよ)い風(かぜ)が**吹く**そうです。**怖い**です。

3．月(つき)へ行(い)くエレベーターの**実験**は**失敗し**ました。

4．日本(にほん)のマンガ**雑誌**は**文学**の本(ほん)よりよく売(う)れています。

5．夏(なつ)**祭り**で**知り合った**人(ひと)と**婚約し**ました。2か月(げつ)で**別れ**ました。

6．2100年(ねん)には**人口**が100**億**人(にん)になるそうです。

Ⅲ．書き方

祭	ノ	ク	タ	タフ	タヌ	タス	祭	祭	祭
科	ノ	二	千	禾	禾	禾	禾	科	科
庭	ヽ	亠	广	广	庀	庄	庄	庭	庭
報	土	圭	圭	幸	幸	幸	幸	報	報
実	ヽ	ハ	宀	宀	宣	宣	実	実	
誌	二	言	言	計	計	誌	誌	誌	
億	亻	亻	仁	俼	倍	倍	倍	億	億
務	マ	ヌ	予	矛	矛	矛	務	務	務
怖	ヽ	ハ	忄	忄	忙	怍	怖	怖	
吹	丨	口	口	口	口	吹	吹		
失	ノ	亠	二	生	失				
敗	丨	冂	月	目	貝	貝	貝	貯	敗
亡	ヽ	亠	亡						

47 漢字博士

Ⅰ. まとめ：いろいろな読み方（よみかた）

1. **別**
   - **別**々に（べつべつ）　特**別**な（とくべつ）
   - **別**れる（わか）
2. **失**
   - **失**敗する（しっぱい）
   - **失**礼します（しつれい）　**失**業する（しつぎょう）*1
3. **口**
   - 人**口**（じんこう）
   - **口**（くち）
   - 入**口**（いりぐち）　出**口**（でぐち）　+非+常**口**（ひじょうぐち）　+改+札**口**（かいさつぐち）*2
4. **風**
   - **風**（かぜ）　北**風**（きたかぜ）
   - 台**風**（たいふう）　強**風**（きょうふう）*3　強**風**注意報（きょうふうちゅういほう）*4

*1 lose one's job

*2 ticket barrier

*3 strong wind

*4 strong wind warning

Ⅱ. タスク：同じ形を持つ漢字を書きましょう。（おなじかたちをもつかんじをかきましょう）

際　**報**　慣　**吹**　**怖**　服　飲　**祭**

1. (　　　)(　　　)
2. (　　　)(　　　)
3. (　　　)(　　　)
4. (　　　)(　　　)

解答（かいとう）　Ⅱ. 1. 際・祭　2. 報・服　3. 忙・怖　4. 飲・吹

Ⅳ. 読み物

1. 夏祭り

一年に一回、夏**祭り**のとき、田⁺舎(いなか)の両親の家に兄弟が**集まる**。田舎には85歳の母が一人で住んでいる。父は去年、90歳で**亡くなった**。兄とわたしは東京で、妹は大阪で働いている。⁺久(ひさ)しぶりに*[1]会う家族や友達とみんなでお酒を飲んで、遅(おそ)くまで話が続く。子どもたちは広い**庭**で花火を楽(たの)しむ*[2]。**祭り**が終わって、**別れる**ときは⁺寂(さび)しいが、また来年の夏**祭り**に**集まる**ことを約(やく)⁺束(そく)して帰る。

*[1] 久しぶりに after a long interval　　*[2] 楽しむ enjoy

2. 怖い話

科学・医学の新しい⁺技(ぎ)⁺術(じゅつ)*[1]で、赤ちゃんが生まれる前に、男か女か、わかる。どんな病気で死ぬか、わかる。人と同じ知(ち)⁺能(のう)*[2]を持つロボットも作れる。**人口**を多くすることも、少なくすることもできる。100年後(ねんご)*[3]どんな世界になるか、考えると、ちょっと**怖い**。

*[1] 技術 technology　　*[2] 知能 intelligence　　*[3] 100年後 100 years later

漢字忍者

いろいろな⁺専(せん)⁺門(もん)

文学 literature	法学(ほうがく) law	生物学(せいぶつがく) biology
心理学(しんりがく) psychology	政治学(せいじがく) politics	天文学(てんもんがく) astronomy
言語学(げんごがく) linguistics	数学(すうがく) mathematics	地理学(ちりがく) geography
教育学(きょういくがく) pedagogy	**科学** science	医学(いがく) medicine
社会学(しゃかいがく) sociology	物理学(ぶつりがく) physics	薬学(やくがく) pharmacology
経済学(けいざいがく) economics	化学(かがく) chemistry	

48 徒 君 牛 乳 柔 準 備

徒	君	牛	乳	柔	準	備
273	475	226	389	480	471	267

Ⅰ．読み方

A

1．生**徒**(せいと)	高校(こうこう)の生**徒**　中学校(ちゅうがっこう)の生**徒**
2．～**君**(くん)	ハンス**君**　田中(たなか)**君**はいますか
3．**牛乳**(ぎゅうにゅう)	おいしい**牛乳**　冷(つめ)たい**牛乳**　**牛乳**を飲(の)む
4．**柔**道(じゅうどう)	**柔**道が好(す)きです　**柔**道を教(おし)えます
5．**準備**(じゅんび)	会議(かいぎ)の**準備**　食事(しょくじ)の**準備**　試験(しけん)の**準備**
6．**営**業(えいぎょう)	**営**業中(ちゅう)　**営**業時間(じかん)　**営**業会議(かいぎ)
7．**忙**しい(いそが)	仕事(しごと)が**忙**しいです　朝(あさ)は**忙**しいです
8．**留**学する(りゅうがく)	京都大学(きょうとだいがく)に**留**学します
9．自**由**に(じゆう)	席(せき)は自**由**に選(えら)べます　日本語(にほんご)で自**由**に話(はな)せます

B

1．手伝う(てつだ)	食事(しょくじ)の準備(じゅんび)を手伝います
2．届ける(とど)	花(はな)を届けます　宅配便(たくはいびん)で届けます
3．下ろす(お)	車(くるま)から荷物(にもつ)を下ろします
4．世話をする(せわ)	犬(いぬ)の世話をします　母(はは)の世話をします
5．楽しむ(たの)	日本(にほん)の生活(せいかつ)を楽しみます
6．実は(じつ)	実は来月結婚(らいげつけっこん)します　実はお金(かね)が必要(ひつよう)です

Ⅱ．使い方

1．北川(きたがわ)**君**と東山(ひがしやま)**君**は同(おな)じ高校(こうこう)の**生徒**です。**柔道**を習(なら)っています。

2．ミラー**君**、ファイルを**営業**部長(ぶちょう)に**届けて**ください。

3．毎朝(まいあさ)**牛乳**を**届けて**もらいます。

4．店(みせ)は今(いま)、**準備**中(ちゅう)です。**営業**時間(じかん)は10時(じ)から8時(じ)です。

5．**実は**、父(ちち)も25年前(ねんまえ)、日本(にほん)に**留学して**いました。

6．仕事(しごと)がおもしろいので、**忙しくて**も、毎日(まいにち)**楽しんで**います。

営 忙 留 由
457 304 492 240

7. 大学(だいがく)ではパソコンをいつでも**自由に**使(つか)うことができます。
8. 娘(むすめ)と息子(むすこ)に食事(しょくじ)の**準備**を**手伝わせて**います。[+]夫(おっと)は片(かた)づけるのを**手伝ってくれ**ます。
9. 彼(かれ)は[+]背(せ)が高(たか)いので、高(たか)い所(ところ)の荷物(にもつ)を**下ろす**とき、**手伝って**もらいます。便利(べんり)な友達(ともだち)です。
10. 1億円(おくえん)を**自由に**使(つか)うことが夢(ゆめ)です。
11. 70歳(さい)の母(はは)が95歳の祖母(そぼ)の**世話をして**います。

Ⅲ. 書き方

徒	ノ	ク	彳	彳	彳	往	徍	徔	徒
君	フ	ヨ	ヨ	尹	尹	君	君		
牛	ノ	𠂉	𠂉	牛					
乳	ノ	⺈	⺈	爫	孚	孚	孚	乳	
柔	フ	マ	予	予	矛	矛	柔	柔	柔
準	氵	氵	氵	氵	汻	汻	淮	準	準
備	亻	亻	亻	亻	亻	併	俻	備	備
営	丶	丷	丷	⺍	⺌	⺌	宫	営	営
忙	丶	丶	忄	忄	忙	忙			
留	ノ	⺈	厶	卯	卯	留	留	留	留
由	丨	冂	巾	由	由				

48 漢字博士

Ⅰ. まとめ：いろいろな読み方

1. 下

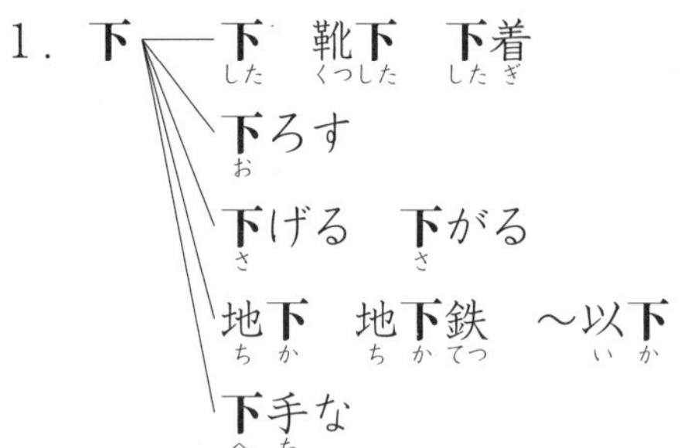

2. 楽
- 楽しむ（たの）　楽しい（たの）
- 楽な（らく）
- 音楽（おんがく）　音楽家（おんがくか）

3. 実
- 実は（じつ）
- 実験（じっけん）　実習（じっしゅう）*

* practice, training

Ⅱ. タスク：□の中の漢字を選んで（　　）に書いてください。

1. 月曜日は（＿＿＿しい）です。
2. 息子は中国に（＿＿＿学）しています。
3. ここは中学校の（生＿＿＿）が通る道です。
4. （＿＿＿道）でオリンピックに出ます。

徒	留
柔	忙

Ⅲ. タスク：ことばを作ってください。□にAから選んだ漢字を入れます。

○にBから選んだ漢字を入れます。

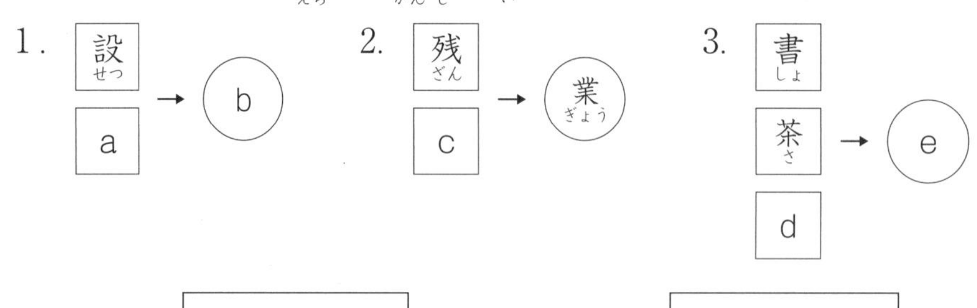

A. 準　柔　営

B. 業　道　備

解答　Ⅱ. 1. 忙　2. 留　3. 徒　4. 柔　Ⅲ. a準　b備　c営　d柔　e道

Ⅳ. 読み物

1. 留学生(りゅうがくせい)の手紙

田中さん、お元気ですか。日本ではお世話になりました。国へ帰って、もう6か月過ぎました。今、わたしはコンピューターの会社で**営業**の仕事をしています。仕事は**忙しい**ですが、毎日**楽しんで**います。新入社員(しんにゅうしゃいん)*1も**自由に**仕事ができます。**忙しくて**も、自分の時間を大切にしたいです。

この間、休みを取ってバリ島(とう)*2へ行って来ました。バリでおもしろいデザインのシャツを買いました。今度日本へ行く友達に頼んで、田中さんに**届けて**もらいます。楽しみにしていてください。

ではお元気で。さようなら。　　　　　　　　　　タン

*1 新入社員 new employee　　*2 バリ島 Bali island

2. 田中さんの手紙

タン**君**、お手紙ありがとう。手紙を読んで、タン**君**が**留学して**いたときのいろいろなことを思い出しました。タン**君**は**柔道**が強くて、よく試合に出ていましたね。**牛乳**が好きで、**牛乳**を飲むと、力が出ると言っていましたね。今も**柔道**をしていますか。

実は、わたしの娘が来年オーストラリアへ**留学する**ので、今その**準備**で**忙しい**毎日です。わたしも娘の**留学**の**準備**を**楽しんで**います。タン**君**もまた日本へ来る機会があったら、連絡してください。シャツを楽しみにしています。

では、お元気で。　　　　　　　　　　田中

49　存 507　様 334　妻 476　首 419　疲 510　勤 390　泊 281

Ⅰ．読み方

A	1．	ご**存**(ぞん)じ	田中先生(たなかせんせい)をご**存**じですか
	2．	奥**様**(おくさま)	先生(せんせい)の奥**様**　社長(しゃちょう)の奥**様**
	3．	**妻**(つま)	わたしの**妻**　**妻**の兄(あに)　**妻**は医者(いしゃ)です
	4．	**首**相(しゅしょう)	日本(にほん)の**首**相　ドイツの**首**相　**首**相のスピーチ
	5．	**疲**(つか)れる	目(め)が**疲**れました　お**疲**れさまでした
	6．	**勤**(つと)める	銀行(ぎんこう)に**勤**めています　20年(ねん)**勤**めました
	7．	**泊**(と)まる	ホテルに**泊**まります　友達(ともだち)の所(ところ)に**泊**まります
	8．	出**張**(しゅっちょう)する	東京(とうきょう)に出**張**します　3日間(みっかかん)出**張**します
	9．	引(ひ)っ**越**(こ)しする	友達(ともだち)が引っ**越**しします
	10．	合**格**(ごうかく)する	試験(しけん)に合**格**しました　大学(だいがく)に合**格**しました
	11．	失**礼**(しつれい)します	お先(さき)に失**礼**します　失**礼**いたします
	12．	～**様**(さま)	田中(たなか)**様**　木村(きむら)**様**
B	1．	空港(くうこう)	外国(がいこく)の空港　広(ひろ)い空港
	2．	旅館(りょかん)	旅館に泊(と)まります　旅館を予約(よやく)します
	3．	過(す)ごす	北海道(ほっかいどう)で過ごします　家(いえ)で過ごします
	4．	利用(りよう)する	図書館(としょかん)を利用します　地下鉄(ちかてつ)を利用します
	5．	～年(ねん)～組(くみ)	4年3組　息子(むすこ)のクラスは1年1組です

Ⅱ．使い方

1．A：田中先生(たなかせんせい)を**ご存じ**ですか。

B：お会(あ)いしたことはありませんが、お名前(なまえ)は知っています。

2．**奥様**によろしくお伝(つた)えください。

3．ミラー**様**があちらでお待(ま)ちになっています。

4．**妻**は病院(びょういん)に**勤めて**います。娘(むすめ)は図書館(としょかん)に**勤めて**います。

張 310　越 526　格 333　礼 338

5. 勉強中(べんきょうちゅう)はすぐ**疲れ**ます。遊(あそ)ぶときは**疲れ**ません。
6. 皆(みな)さん、**お疲れさま**でした。あちらでお茶(ちゃ)をどうぞ。
7. 京都(きょうと)に**出張し**ます。日本(にほん)**旅館**に**泊まる**つもりです。
8. ここは**首相**がいつも**利用されて**いる**旅館**です。お部屋(へや)も値段(ねだん)もすばらしいです。
9. 北海道(ほっかいどう)へ転勤(てんきん)になりました。**引っ越しし**なければなりません。息子(むすこ)は大学(だいがく)の入学試験(にゅうがくしけん)に**合格した**ところです。**妻**も仕事(しごと)があるので、**引っ越しする**ことができません。一人(ひとり)で**引っ越しし**ます。
10. 正月(しょうがつ)は家族皆(かぞくみな)で**過ごす**つもりです。
11. ハンス君(くん)は5**年**2**組**の教室(きょうしつ)にいます。

Ⅲ. 書き方

存	一	ナ	𠂇	𠂇	疒	存			
様	木	朩	杧	栏	栏	样	样	样	様
妻	一	㇇	彐	彐	耂	妻	妻	妻	
首	丶	丷	䒑	䒑	广	首	首	首	首
疲	亠	广	广	疒	疒	疒	疒	疲	疲
勤	一	艹	艹	昔	芇	堇	堇	勤	勤
泊	丶	冫	氵	氵	氵	泊	泊	泊	
張	㇕	コ	弓	弓	弫	張	張	張	張
越	土	圭	走	走	走	赴	越	越	越
格	一	十	木	朩	杦	格	格	格	格
礼	丶	㇇	ネ	ネ	礼				

49 漢字博士

Ⅰ．**タスク**：漢字（かんじ）を作（つく）ってください。

1. 疒　2. 存　3. し　4. 羕　5. 木

木	ネ	各	子	皮

Ⅱ．**タスク**：間違（まちが）った使（つか）い方（かた）はどれですか。

1．試験（しけん）に（ a．失敗（しっぱい）する　b．留学（りゅうがく）する　c．**合格する** ）。
2．東京（とうきょう）へ（ a．**出張する**　b．**引っ越しする**　c．**利用する** ）。
3．**旅館**に（ a．**過ごす**　b．**泊まる**　c．**勤める** ）。

Ⅲ．**タスク**：同（おな）じ形（かたち）は？

1．走　**越**　起　⇔　走
2．**張**　強　引　⇔　☐
3．**泊**　白　皆　⇔　☐
4．目　相　箱　⇔　☐
5．力　**勤**　動　⇔　☐
6．**存**　学　厚　⇔　☐
7．**妻**　安　姉　⇔　☐

解答（かいとう）　Ⅰ．1. 疲　3. 礼　4. 様　5. 格
Ⅱ．1. b　2. c　3. a　Ⅲ．1. 走　2. 弓　3. 白　4. 目　5. 力　6. 子　7. 女

Ⅳ. 読み物

火山[*1]の+噴火[*2]

日本は火山が多い国だ。最近、日本のいろいろな所で火山の活動[*3]が多くなっている。

去年はたくさんの人が登っていた山で、急に噴火が起こり、大勢人が亡くなった。今年になって、九+州の島で噴火が続いている。島に住んでいる人たちは危険なので、島を出て+避難所[*4]に**泊まって**いる。

東京の会社に**勤めて**いる家族の所に**引っ越しした**人もいる。島の+畑[*5]、犬、+猫、牛[*6]、+馬などのことが心配だが、いつ家に帰ることができるか、わからない。みんな、**疲れて**いる。

（鹿児島県　提供）

[*1] 火山 volcano　[*2] 噴火 eruption　[*3] 火山の活動 volcanic activity　[*4] 避難所 shelter
[*5] 畑 farm　[*6] 牛 cow

※2016年10月25日に避難指示はすべて解除され、島民の方々も帰島されています。

50 宅 私 然 式 参 伺 申

宅	私	然	式	参	伺	申
436	348	488	248	249	259	247

Ⅰ. 読み方

A

1. お**宅**(たく) ｜ 部長(ぶちょう)のお**宅**　田中(たなか)さんのお**宅**
2. **私**(わたくし) ｜ **私**の意見(いけん)　**私**はミラーと申(もう)します
3. 自**然**(しぜん) ｜ 自**然**の中(なか)　自**然**を大切(たいせつ)にします
4. 結婚**式**(けっこんしき) ｜ 兄(あに)の結婚**式**　結婚**式**に出席(しゅっせき)します
5. **参**(まい)る ｜ 私(わたくし)が**参**ります　あした3時(じ)に**参**ります
6. **伺**(うかが)う ｜ 私(わたくし)が**伺**います　先生(せんせい)のお宅(たく)へ**伺**います
7. **申**(もう)す ｜ ミラーと**申**します　田中(たなか)と**申**します
8. **拝**見(はいけん)する ｜ 切符(きっぷ)を**拝**見します　お写真(しゃしん)を**拝**見します
9. **案**内(あんない)する ｜ 工場(こうじょう)を**案**内します　京都(きょうと)を**案**内します
10. **到**着(とうちゃく)する ｜ 飛行機(ひこうき)が**到**着します　2時(じ)に**到**着します
11. **優**勝(ゆうしょう)する ｜ スピーチコンテストで**優**勝しました

B

1. 心(こころ) ｜ 母(はは)の心　心が優(やさ)しいです　心が痛(いた)いです
2. 皆様(みなさま) ｜ 皆様、こんにちは　皆様によろしくお伝(つた)えください
3. さ来月(らいげつ) ｜ さ来月、子(こ)どもが生(う)まれます
4. お目(め)にかかる ｜ 奥様(おくさま)にお目にかかります
5. 用意(ようい)する ｜ お土産(みやげ)を用意します　お茶(ちゃ)を用意します
6. 初(はじ)めに ｜ 初めに会議室(かいぎしつ)へご案内(あんない)します

Ⅱ. 使い方

1. きのう、先生(せんせい)の**お宅**へ**伺い**ました。先生(せんせい)の**お宅**は**自然**がきれいで、静(しず)かな所(ところ)にあります。
2. 今日(きょう)は**私**の留学(りゅうがく)の経験(けいけん)をお話(はな)ししたいと思(おも)います。
3. 社長(しゃちょう)の50年前(ねんまえ)のお写真(しゃしん)を**拝見し**ました。

拝 321　案 441　到 391　優 270

4. **私**、ミラーと**申し**ますが、松本部長(まつもとぶちょう)はいらっしゃいますか。

5. 友達(ともだち)がテニスの国際大会(こくさいたいかい)で**優勝し**ました。初(はじ)めて**優勝し**ました。**心**からおめでとうと言(い)いたいです。

6. ドイツの首相(しゅしょう)は2時(じ)に広島(ひろしま)に**到着し**ます。日本(にほん)の首相(しゅしょう)が⁺平(へい)⁺和記(わき)念(ねん)⁺公園(こうえん)*へ**案内する**予定(よてい)です。

*平和記念公園　Peace Memorial Park

7. ご出席(しゅっせき)の**皆様**に飲(の)み物(もの)を**用意して**います。

8. **結婚式**は**さ来月**に決(き)めました。

Ⅲ. 書き方

宅	丶	丷	宀	宀	宀	宅			
私	ノ	二	千	禾	禾	私	私		
然	ノ	ク	タ	タ	タ	外	殀	殀	然
式	一	二	二	三	式	式			
参	ム	ム	厶	厽	叁	叁	参	参	
伺	ノ	イ	们	们	伺	伺	伺		
申	丨	冂	日	日	申				
拝	一	寸	扌	扌	扌	拝	拝	拝	
案	丶	丷	宀	宀	安	安	安	案	案
到	一	工	云	至	至	至	到	到	
優	イ	亻	亻	佰	佰	億	億	優	優

50　漢字博士

Ⅰ．まとめ：いろいろな読み方（よみかた）

1．**然** ── 自**然**（しぜん）　全**然**（ぜんぜん）
　　　── 天**然**の（てんねん）*1　天**然**記念物（てんねんきねんぶつ）*2

2．**優** ── **優**勝する（ゆうしょう）　**優**先する（ゆうせん）*3
　　　── **優**待+券（ゆうたいけん）*4　女**優**（じょゆう）*5
　　　── **優**しい（やさ）

3．**私** ── **私**（わたくし）　**私**（わたし）（「わたし」を「私」と書いて（か）もいいです。）
　　　── **私**立の（しりつ）*6

*1 natural
*2 natural monument
*3 give priority
*4 complimentary ticket
*5 actress
*6 private

Ⅱ．タスク：同じ（おな）形（かたち）を持つ（も）漢字（かんじ）を□に、同じ形を（　　）に入れて（い）ください。

私	**案**	**拝**	**宅**	持	科
伺	**然**	**優**	無	到	別

1．[私] [科]（ 禾 ）　2．[拝] [　]（　　）
3．[案] [　]（　　）　4．[然] [　]（　　）
5．[伺] [　]（　　）　6．[到] [　]（　　）

Ⅲ．タスク：文（ぶん）に合う（あ）ことばを選んで（えら）ください。

1．社長（しゃちょう）の（ a．家　b．**お宅** ）へ（ a．**伺い**　b．行き ）ます。
2．ご家族（かぞく）のお写真（しゃしん）を（ a．**拝見し**　b．見 ）ました。
3．高校（こうこう）のときの友達（ともだち）に（ a．**お目にかかり**　b．会い ）ます。

解答（かいとう）　Ⅱ．2. 拝／持（扌）　3. 案／宅（宀）　4. 然／無（灬）　5. 伺／優（亻）　6. 到／利（刂）
Ⅲ．1. b，a　2. a　3. b

Ⅳ. 読み物

楽しい一日

　大学の先生のご招待で、**お宅へ伺い**ました。先生の**お宅**は駅から少し遠いですが、緑が多い静かな所です。古い+木造(もくぞう)*1 の**お宅**は+周(まわ)りの**自然**によく合っていました。庭に大きい+桜(さくら)の木がありました。

　奥様に初めて**お目にかかり**ました。**私たち**のために昼食(ちゅうしょく)*2 を**用意してくださいました**。「料理が+趣味(しゅみ)です」とおっしゃっていました。ほんとうにおいしくて、**私たち**は全部いただきました。

　先生は今年金婚式(きんこんしき)*3 だそうです。50年前の写真を**拝見し**ながら、昔の東京の話や留学経験の話を**伺い**ました。お二人とも*4 優(やさ)しい方で、**私**は国の両親を思い出しました。帰りに、お二人が近くの古いお寺を**案内してくださいました**。そのお寺は今度、世界(せかい)+遺産(いさん)*5 になるかもしれないそうです。

　日本人の+普通(ふつう)の生活や、古い文化を経験することができて、楽しい一日でした。

*1 木造 wooden　*2 昼食 lunch　*3 金婚式 golden wedding anniversary
*4 〜とも both 〜　*5 世界遺産 world heritage

漢字忍者

式

入学式(にゅうがくしき)	entrance ceremony	結婚式(けっこんしき)	wedding ceremony
卒業式(そつぎょうしき)	graduation ceremony	金婚式(きんこんしき)	golden wedding ceremony
入社式(にゅうしゃしき)	entrance ceremony	銀婚式(ぎんこんしき)	silver wedding ceremony

復習5（～ユニット50）

I.

口	因 528	困 529	回 530	園 531

1. 1週間（しゅうかん）に1___（かい）、図書館（としょかん）へ行（い）きます。
2. 日曜日（にちようび）、お父（とう）さんとお母（かあ）さんと弟（おとうと）と動物（どうぶつ）___（えん）へ行（い）きました。
3. ___（こま）りました。地図（ちず）をなくしてしまいました。
4. けんかの原（げん）___（いん）は何（なん）ですか。

II.

貝	負 417	質 464	賃 499	資 500

1. 日本（にほん）が___（ま）けたと聞（き）いて、がっかりしました。
2. ___（しつ）問に答（こた）えてください。
3. ここは買（か）い物（もの）に便利（べんり）ですが、家（や）___（ちん）が高（たか）いです。
4. この___（し）料（りょう）を貸（か）していただけませんか。

III.

氵	泊 281	泣 282	沸 284	法 285	治 286	洋 289	消 292

1. かぜは___（なお）りましたか。
2. お湯（ゆ）を___（わ）かしてください。
3. 火（ひ）を___（け）しましたか。
4. ___（と）まるホテルは予約（よやく）してありますか。
5. いい映画（えいが）でした。___（な）いてしまいました。
6. 祝日（しゅくじつ）*は___（ほう）律で決（き）められています。

*祝日 holidays

解答（かいとう）　I. 1. 回　2. 園　3. 困　4. 因　　II. 1. 負　2. 質　3. 賃　4. 資
III. 1. 治　2. 沸　3. 消　4. 泊　5. 泣　6. 法

Ⅳ.

艹	若 421　菜 424　薄 428　薬 429

1．Ａ：＿＿い先生ですね。Ｂ：ええ、大学を出たばかりだそうです。

2．味が＿＿いですね。もう少し+塩を入れましょう。

3．＿＿を飲んでいるのに、病気が治りません。

4．野＿＿は体にいいです。

Ⅴ．形が違いますが、同じ意味の部品です。

1．心 と 忄

心　忘れる　残念な　息子　怖い　忙しい

2．火 と 灬

火　焼く　黒い　熱い　無理な　点

3．衣 と 衤

+衣*1　袋　～製　初めて　　*1 clothes

4．刀（刀）と 刂

+刀*2　切る　初めて　便利な　特別な　　*2 sword

解答　Ⅳ. 1. 若　2. 薄　3. 薬　4. 菜

ユニット23クイズ	名前

Ⅰ. ＿＿の読み方を書いてください。

1. 社長はどちらですか。

2. どこに住んでいますか。

3. 飲み物は足りますか。

4. 今日は１年の終わりの日です。

5. ミラーさんは大切な友達です。

6. これを買った店の名前を思い出しました。

Ⅱ. 漢字を選んでください。

1. 車に□をつけてください。　　a. 木　　b. 気

2. きれいな□ですね　　a. 字　　b. 時

Ⅲ. 漢字で書いてください。

1. □□（い　けん）

ユニット 24 クイズ

名前

Ⅰ. ＿＿の読み方を書いてください。

1．問題がありま す。

2．答えがわかりません。

3．タクシーを2台呼んでください。

4．勉強を始めましょう。

5．研究は大変です。資料をたくさん集めなければなりません。

Ⅱ. 漢字を選んでください。

1．□（みみ）　a．耳　b．目

2．□事（ようじ）　a．曜　b．用

Ⅲ. 漢字で書いてください。

1．□□（しけん）

ユニット 25 クイズ

名前

Ⅰ. ＿＿の読み方を書いてください。

1．日本は県が 43 あります。

2．もうすぐお正月です。

3．ご飯はまだですか。

4．ここの生活は不便ですが、楽しいです。

5．急ぎますから、特急に乗りましょう。

Ⅱ. 漢字を選んでください。

1．□い（ひく）　a．弱　b．低

2．□に（とく）　a．特　b．持

Ⅲ. 漢字で書いてください。

1．□□（せ　かい）

ユニット26クイズ　　名前

Ⅰ. ＿＿の読み方を書いてください。

1. 2時から会議があります。

2. 市役所は駅の近くにあります。

3. 古い帽子を捨てました。

4. おばあさんは95歳です。

5. いっしょに国会議事堂を見学しに行きませんか。

Ⅱ. 漢字を選んでください。

1. □う（ひろ）　a. 拾　b. 捨

2. □れる（おく）　a. 遠　b. 遅

Ⅲ. 漢字で書いてください。

1. □（よこ）

2. □車場（ちゅうしゃじょう）

ユニット27クイズ

名前

Ⅰ. ＿＿の読み方を書いてください。

1. 友達にスキーの<u>道具</u>を借りました。

2. <u>週末</u>は山に<u>登り</u>ます。

3. よろしく<u>お願いし</u>ます。

4. <u>鳥</u>の<u>声</u>が聞こえます。

Ⅱ. 漢字を選んでください。

1. □る　　a. 走　b. 座

2. □理する　　a. 週　b. 修

Ⅲ. 漢字で書いてください。

1. □（なみ）

2. 三□（さんがい）

ユニット28クイズ

名前

Ⅰ. ＿＿の読み方を書いてください。

1．ここは景色がいいです。

2．アルバイトの経験があります。

3．自転車で学校に通っています。

4．きれいな色が好きです。

5．あの学生は熱心です。

6．試験について説明します。

Ⅱ. 漢字を選んでください。

1．□物（しなもの）　a．品　b．具

2．□い（ねむい）　a．眠　b．熱

Ⅲ. 漢字で書いてください。

1．□（ちから）

2．□（かたち）

ユニット29 クイズ

名前

Ⅰ．＿＿の読み方を書いてください。

1．忘れ物を取りに家に帰ります。

2．この服はポケットが4つ付いています。

3．パスポートを落としてしまいました。

4．電話番号を調べます。

Ⅱ．漢字を選んでください。

1．□う（あら）　a．汚　b．洗

2．□える（おぼ）　a．忘　b．覚

Ⅲ．漢字で書いてください。

1．あの□（へん）

2．右□（みぎがわ）

ユニット30クイズ　名前

Ⅰ. ＿＿の読み方を書いてください。（よ　かた　か）

1. テーブルにお皿を並べます。

2. 飛行機のチケットを予約します。（ひこうき）

3. 机の引き出しの中にパスポートがあります。（なか）

4. 毎日、漢字を復習します。（まいにち　かんじ）

Ⅱ. 漢字を選んでください。（かんじ　えら）

1. 連□する　　a. 絡　　b. 約
　（れんらく）

2. ごみ□　　a. 隅　　b. 箱
　（ばこ）

Ⅲ. 漢字で書いてください。（かんじ　か）

1. □習する
　（よしゅう）

2. □づける
　（かた）

ユニット31クイズ　　名前

Ⅰ. ___の読み方を書いてください。

1. 連休に北海道を旅行します。

2. 将来、医者になりたいです。

3. 大学院の入学試験を受けます。

4. 飛行機のチケットを予約します。

5. 子どものときはかわいい顔でした。

6. 11月の連休に結婚します。

Ⅱ. 漢字を選んでください。

1. 動物□　　a. 円　　b. 園

2. □社　　a. 本　　b. 神

Ⅲ. 漢字で書いてください。

1. □める

2. 予□

ユニット32クイズ　名前

Ⅰ．＿＿の読み方を書いてください。

1．休みの日は子どもと遊びます

2．サッカーの試合で日本が勝ちました。

3．やけどをしたら、すぐ冷やしてください。

4．朝のバスはいつも込んでいます。

5．世界の経済はよくなりました。

Ⅱ．漢字を選んでください。

1．□く（つづ）　a．続　b．練

2．国□会議（こくさい　かいぎ）　a．最　b．際

Ⅲ．漢字で書いてください。

1．□方（ゆう　がた）

2．□（ゆき）

ユニット33クイズ	名前

Ⅰ. ＿＿の読み方を書いてください。

1. 会議(かいぎ)に出席します。

2. 触るな。危険！

3. ここは立入禁止です。

4. ドアの前(まえ)に荷物を置(お)かないでください。

5. 部長(ぶちょう)は今(いま)、席を外(はず)しています。

Ⅱ. 漢字(かんじ)を選(えら)んでください。

1. □(な)げる　a. 曲　b. 投

2. □(もど)る　a. 取　b. 戻

Ⅲ. 漢字(かんじ)で書(か)いてください。

1. □(す)う

2. □(つた)える

ユニット 34 クイズ	名前

Ⅰ. ＿＿の読み方を書いてください。

1．子どもに歯の磨き方を教えました。

2．おちゃわんを右に２回、回します。

3．自分でテーブルを組み立てました。

4．毎晩、スポーツ番組を見ます。

Ⅱ. 漢字を選んでください。

1．□い（あま）　a．苦　b．甘

2．□る（おど）　a．踊　b．浴

Ⅲ. 漢字で書いてください。

1．□問（しつもん）

2．□に（つぎ）

ユニット35 クイズ

名前

Ⅰ. ＿＿の読み方を書いてください。

1. 東京の生活は楽しいです。
2. 向こうに島が見えます。
3. 新しい橋ができました。
4. 友達が結婚します。

Ⅱ. 漢字を選んでください。

1. □（むかし）　a. 今　b. 昔
2. □（すず）しい　a. 湯　b. 涼

Ⅲ. 漢字で書いてください。

1. 木の□（は）
2. □（お）す

ユニット36クイズ　　名前

Ⅰ．＿＿の読み方を書いてください。

1．初めはおすしが食べられませんでした。

2．あの人は野菜しか食べません。

3．借りたお金は必ず返します。

4．船で島へ渡ります。

5．娘は水泳を習っています。

Ⅱ．漢字を選んでください。

1．□れる（な）　a．慣　b．泳

2．□う（ちが）　a．過　b．違

Ⅲ．漢字で書いてください。

1．日□（にっき）

2．特□な（とくべつ）

ユニット 37 クイズ	名前

Ⅰ. ＿＿の読み方を書いてください。

1．わたしの国（くに）は石油を輸出しています。

2．ここは有名（ゆうめい）なお寺です。

3．先生（せんせい）に呼ばれました。

4．この本（ほん）の絵が好（す）きです。

Ⅱ. 漢字を選んでください。

1．□料（げんりょう）　a．石　b．原

2．□む（たの）　a．招　b．頼

Ⅲ. 漢字で書いてください。

1．□（いけ）

2．□意する（ちゅうい）

ユニット 38 クイズ

名前

Ⅰ. ＿＿の読み方を書いてください。

1. 大きい卵ですね。

2. 自動車工場を見学します。

3. 子どもを育てるのは大変ですが、楽しいです。

4. 無理なダイエットはやめたほうがいいです。

5. ダイエットを続けました。

Ⅱ. 漢字を選んでください。

1. □ (むら)　a. 机　b. 村

2. □ける (ま)　a. 勝　b. 負

Ⅲ. 漢字で書いてください。

1. □しい (むずか)

2. □歩する (さん ぽ)

ユニット39クイズ　名前

Ⅰ. ＿＿の読み方を書いてください。

1. 大きな地震がありました。

2. 漢字がわからなくて、困りました。

3. 電気代が払えません。

4. 狭くて、汚い店ですが、おいしいです。

Ⅱ. 漢字を選んでください。

1. □雑な　a. 復　b. 複

2. □中　a. 途　b. 過

Ⅲ. 漢字で書いてください。

1. □□（こう つう）

2. □ぬ（し）

ユニット40クイズ　名前

Ⅰ．＿＿の読み方を書いてください。

1．あしたは都合が悪いです。

2．メールの返事がありません。

3．はがきの表に絵をかいてもいいですか。

4．出席するのは何人か、確かめます。

5．料理が残りました。

Ⅱ．漢字を選んでください。

1．心□な（しんぱい）　a．配　b．酒

2．□い（わかい）　a．苦　b．若

Ⅲ．漢字で書いてください。

1．□□（はっぴょう）

2．□下（いか）

ユニット 41 クイズ	名前

Ⅰ. ＿＿の読み方を書いてください。

1. 娘が結婚します。
2. 息子がアメリカへ留学します。
3. お祝いをしましょう。
4. 宿題をしました。
5. 文法を間違えました。

Ⅱ. 漢字を選んでください。

1. お見□い（みまい）　a. 無　b. 舞
2. □す（なおす）　a. 真　b. 直

Ⅲ. 漢字で書いてください。

1. □母（そぼ）
2. 作□（さくぶん）

ユニット42クイズ

名前

Ⅰ. ＿＿の読み方を書いてください。

1. 両親は元気です。
2. きれいな紙でプレゼントを包みます。
3. 食事代を払います。
4. 買う前に、必要かどうか考えます。
5. 全部食べてしまいました。おいしかったです。

Ⅱ. 漢字を選んでください。

1. □（みどり）　a. 練　b. 緑
2. □しい（ほ）　a. 浴　b. 欲

Ⅲ. 漢字で書いてください。

1. □□（せいじ）
2. 文□（ぶんか）

ユニット43クイズ

名前

I. ＿＿の読み方を書いてください。

1. スーパーで米を買います。
2. 切符をなくしました。
3. 電気が消えました。
4. 緑が増えました。
5. 白い花が咲いています。
6. 迎えに来てくれて、ありがとう。

II. 漢字を選んでください。

1. 5□（まい）　a. 舞　b. 枚
2. □書（じしょ）　a. 字　b. 辞

III. 漢字で書いてください。

1. □い日（あつ　ひ）
2. □い日（さむ　ひ）

ユニット44クイズ

ユニット44クイズ	名前

Ⅰ．＿＿の読(よ)み方(かた)を書(か)いてください。

1．お母(かあ)さんを見(み)て、赤(あか)ちゃんが笑いま す。

2．きのうから、歯(は)が痛いです。

3．髪の色(いろ)を変(か)えてみました。

4．高(たか)いお皿(さら)が割れてしまいました。

5．コピーの字(じ)が薄くて、読(よ)めません。

6．病院(びょういん)で薬をもらいます。

Ⅱ．漢字(かんじ)を選(えら)んでください。

1．□（あたま）　a．頭　b．顔

2．□（ふと）い　a．厚　b．太

Ⅲ．漢字(かんじ)で書(か)いてください。

1．□（しず）かな

2．□（な）く

ユニット 45 クイズ　　名前

Ⅰ. ＿＿の読み方を書いてください。

1. 好きな仕事ができる会社で働きたいです。

2. 給料が少し上がりました。

3. 家賃も上がるかもしれません。

4. 新しいカメラの値段を調べます。

5. 会議の資料を集めています。

6. 急に用事ができました。

Ⅱ. 漢字を選んでください。

1. □さん（みな）　a. 皆　b. 階

2. □（かぜ）　a. 雪　b. 風

Ⅲ. 漢字で書いてください。

1. 100□（てん）

2. 残□な（ざんねん）

ユニット46クイズ

名前

Ⅰ. ＿＿の読み方を書いてください。
よ　かた　か

1. 彼は中国人です。
　　ちゅうごくじん

2. 大学を卒業する前に旅行をします。
　　だいがく　　まえ　りょこう

3. 母から荷物が届きました。
　　はは　にもつ

4. 困ったときは友達に相談します。
　　こま　ともだち

5. 彼女と映画に行きます。
　　えいが　い

6. 山の火事で木がたくさん焼けました。
　　やま　かじ　き

Ⅱ. 漢字を選んでください。
かんじ　えら

1. 原□　a. 因　b. 員
　　げんいん

2. □く　a. 乾　b. 川
　　かわ

Ⅲ. 漢字で書いてください。
かんじ　か

1. 具□
　　ぐあい

2. □員
　　かかりいん

ユニット47クイズ

名前

Ⅰ．＿＿の読み方を書いてください。

1．北海道の雪祭りを見に行きます。

2．科学の本を読みました。

3．天気予報によると、午後から雪が降るそうです。

4．弟はいつもマンガ雑誌を読んでいます。

5．兄は法律事務所で働いています。

6．強い風が吹いています。

Ⅱ．漢字を選んでください。

1．□い　a．科　b．怖

2．□験　a．実　b．失

Ⅲ．漢字で書いてください。

1．一□円

2．□くなる

ユニット48 クイズ　　名前

Ⅰ. ＿＿の読み方を書いてください。

1. 娘をイギリスへ留学させます。
2. 兄は柔道を習っています。
3. 晩ご飯の準備をします。
4. 毎日、牛乳を飲みます。
5. このスーパーの営業時間は8時から20時までです。
6. 友達の引っ越しを手伝います。

Ⅱ. 漢字を選んでください。

1. 自□に（じゆう）　a. 由　b. 届
2. 生□（せいと）　a. 徒　b. 走

Ⅲ. 漢字で書いてください。

1. □しい（いそが）
2. ハンス□（くん）

ユニット49クイズ　　名前

Ⅰ．＿＿の読(よ)み方(かた)を書(か)いてください。

1．田中先生(たなかせんせい)の奥様にお会(あ)いしました。

2．先生(せんせい)、あの人(ひと)はだれかご存じですか。

3．首相がスピーチをします。

4．来週(らいしゅう)はドイツへ出張します。

5．息子(むすこ)は試験(しけん)に合格しました。

6．妻に花(はな)を買(か)って帰(かえ)ります。

Ⅱ．漢字(かんじ)を選(えら)んでください。

1．□(つと)める　　a．勤　　b．動

2．引(ひ)っ□(こ)し　　a．過　　b．越

Ⅲ．漢字(かんじ)で書(か)いてください。

1．ホテルに□(と)まる

2．□(つか)れる

ユニット50 クイズ　　名前

Ⅰ. ＿＿の読み方を書いてください。

1. 初めまして。ミラーと申します。
2. 切符を拝見します。
3. すばらしい結婚式でした。
4. 社長にお話を伺いました。
5. アメリカから参りました。
6. マラソン大会で優勝したいです。

Ⅱ. 漢字を選んでください。

1. □内する（あんない）　a. 安　b. 案
2. □着する（とうちゃく）　a. 到　b. 倒

Ⅲ. 漢字で書いてください。

1. □（わたくし）
2. お□（たく）

クイズ解答(かいとう)

ユニット 23

Ⅰ. 1. しゃちょう　2. すんで　3. たり　4. おわり、ひ
　5. たいせつな　6. おもいだし

Ⅱ. 1. b　2. a

Ⅲ. 1. 意見

ユニット 24

Ⅰ. 1. もんだい　2. こたえ　3. だい　4. はじめ　5. けんきゅう、あつめ

Ⅱ. 1. a　2. b

Ⅲ. 1. 試験

ユニット 25

Ⅰ. 1. けん　2. おしょうがつ　3. ごはん　4. ふべん
　5. いそぎ、とっきゅう

Ⅱ. 1. b　2. a

Ⅲ. 1. 世界

ユニット 26

Ⅰ. 1. かいぎ　2. しやくしょ　3. ぼうし、すて　4. さい
　5. こっかいぎじどう

Ⅱ. 1. a　2. b

Ⅲ. 1. 横　2. 駐

ユニット 27

Ⅰ. 1. どうぐ　2. しゅうまつ、のぼり　3. おねがいし　4. とり、こえ

Ⅱ. 1. b　2. b

Ⅲ. 1. 波　2. 階

ユニット 28

Ⅰ. 1. けしき　2. けいけん　3. かよって　4. いろ　5. ねっしん
　6. せつめいし

Ⅱ. 1. a　2. a

Ⅲ. 1. 力　2. 形

ユニット 29

Ⅰ. 1. わすれもの、とり　2. ついて　3. おとして
4. でんわばんごう、しらべ

Ⅱ. 1. b　2. b

Ⅲ. 1. 辺　2. 側

ユニット 30

Ⅰ. 1. おさら、ならべ　2. よやくし　3. つくえ、ひきだし
4. ふくしゅうし

Ⅱ. 1. a　2. b

Ⅲ. 1. 予　2. 片

ユニット 31

Ⅰ. 1. れんきゅう　2. しょうらい　3. うけ　4. ひこうき　5. かお
6. れんきゅう

Ⅱ. 1. b　2. b

Ⅲ. 1. 決　2. 定

ユニット 32

Ⅰ. 1. あそび　2. しあい、かち　3. ひやして　4. こんで
5. けいざい

Ⅱ. 1. a　2. b

Ⅲ. 1. 夕　2. 雪

ユニット 33

Ⅰ. 1. しゅっせきし　2. さわる、きけん　3. たちいりきんし
4. にもつ　5. せき

Ⅱ. 1. b　2. b

Ⅲ. 1. 吸　2. 伝

ユニット 34

Ⅰ. 1. は、みがき　2. かい、まわし　3. くみたて　4. ばんぐみ

Ⅱ. 1. b　2. a
Ⅲ. 1. 質　2. 次

ユニット 35

Ⅰ. 1. せいかつ　2. むこう、しま　3. はし　4. けっこんし
Ⅱ. 1. b　2. b
Ⅲ. 1. 葉　2. 押

ユニット 36

Ⅰ. 1. はじめ　2. やさい　3. かならず　4. ふね、わたり　5. すいえい
Ⅱ. 1. a　2. b
Ⅲ. 1. 記　2. 別

ユニット 37

Ⅰ. 1. せきゆ、ゆしゅつして　2. おてら　3. よばれ　4. え
Ⅱ. 1. b　2. b
Ⅲ. 1. 池　2. 注

ユニット 38

Ⅰ. 1. たまご　2. こうじょう、けんがくし　3. そだてる　4. むりな
5. つづけ
Ⅱ. 1. b　2. b
Ⅲ. 1. 難　2. 散

ユニット 39

Ⅰ. 1. じしん　2. こまり　3. だい　4. せまくて、きたない
Ⅱ. 1. b　2. a
Ⅲ. 1. 交、通　2. 死

ユニット 40

Ⅰ. 1. つごう　2. へんじ　3. おもて　4. たしかめ　5. のこり
Ⅱ. 1. a　2. b
Ⅲ. 1. 発、表　2. 以

ユニット 41

Ⅰ. 1. むすめ 2. むすこ 3. おいわい 4. しゅくだい 5. ぶんぽう

Ⅱ. 1. b 2. b

Ⅲ. 1. 祖 2. 文

ユニット 42

Ⅰ. 1. りょうしん 2. つつみ 3. はらい 4. ひつよう 5. ぜんぶ

Ⅱ. 1. b 2. b

Ⅲ. 1. 政、治 2. 化

ユニット 43

Ⅰ. 1. こめ 2. きっぷ 3. きえ 4. ふえ 5. さいて 6. むかえ

Ⅱ. 1. b 2. b

Ⅲ. 1. 暑 2. 寒

ユニット 44

Ⅰ. 1. わらい 2. いたい 3. かみ 4. われて 5. うすくて
6. くすり

Ⅱ. 1. a 2. b

Ⅲ. 1. 静 2. 泣

ユニット 45

Ⅰ. 1. はたらき 2. きゅうりょう 3. やちん 4. ねだん
5. しりょう 6. きゅうに

Ⅱ. 1. a 2. b

Ⅲ. 1. 点 2. 念

ユニット 46

Ⅰ. 1. かれ 2. そつぎょうする 3. とどき 4. そうだんし
5. かのじょ 6. やけ

Ⅱ. 1. a 2. a

Ⅲ. 1. 合 2. 係

ユニット 47

Ⅰ. 1. まつり　2. かがく　3. てんきよほう　4. ざっし　5. じむしょ
　6. ふいて

Ⅱ. 1. b　2. a

Ⅲ. 1. 億　2. 亡

ユニット 48

Ⅰ. 1. りゅうがくさせ　2. じゅうどう　3. じゅんび　4. ぎゅうにゅう
　5. えいぎょう　6. てつだい

Ⅱ. 1. a　2. a

Ⅲ. 1. 忙　2. 君

ユニット 49

Ⅰ. 1. おくさま　2. ごぞんじ　3. しゅしょう　4. しゅっちょうし
　5. ごうかくし　6. つま

Ⅱ. 1. a　2. b

Ⅲ. 1. 泊　2. 疲

ユニット 50

Ⅰ. 1. もうし　2. はいけんし　3. けっこんしき　4. うかがい
　5. まいり　6. ゆうしょうし

Ⅱ. 1. b　2. a

Ⅲ. 1. 私　2. 宅

監修者
西口光一（にしぐちこういち）　大阪大学国際教育交流センター／言語文化研究科　教授

著者
新矢麻紀子（しんやまきこ）　大阪産業大学国際学部　教授
古賀千世子（こがちせこ）　元神戸大学留学生センター　非常勤講師
　元松下電器産業株式会社海外研修所　講師
髙田亨（たかだとおる）　元関西学院大学国際教育・協力センター　特別契約准教授
御子神慶子（みこがみけいこ）　一般財団法人海外産業人材育成協会（AOTS）　日本語講師
　グループ四次元ポケット

本文イラスト
西野昌彦、すずきあやの

表紙イラスト
さとう恭子

装丁デザイン
山田武

みんなの日本語　初級Ⅱ　第２版
漢字　英語版

2001年11月1日　初版第1刷発行
2017年2月28日　第2版第1刷発行
2018年5月2日　第2版第3刷発行

監修者　西口光一
著　者　新矢麻紀子　古賀千世子　髙田 亨　御子神慶子
発行者　藤嵜政子
発　行　株式会社スリーエーネットワーク
〒102-0083　東京都千代田区麹町3丁目4番
トラスティ麹町ビル2F
電話　営業　03（5275）2722
　　　編集　03（5275）2725
http://www.3anet.co.jp/
印　刷　日本印刷株式会社

ISBN978-4-88319-744-6　C0081
落丁・乱丁本はお取り替えいたします。

みんなの日本語シリーズ

みんなの日本語 初級I 第2版

- 本冊(CD付) …………………… 2,500円+税
- 本冊 ローマ字版(CD付) …… 2,500円+税
- 翻訳・文法解説 ……………… 各2,000円+税
  英語版／ローマ字版【英語】／中国語版／韓国語版／ドイツ語版／スペイン語版／ポルトガル語版／ベトナム語版／イタリア語版／フランス語版／ロシア語版(新版)／タイ語版／インドネシア語版
- 教え方の手引き ………………… 2,800円+税
- 初級で読めるトピック25 …… 1,400円+税
- 聴解タスク25 ………………… 2,500円+税
- 標準問題集 ……………………… 900円+税
- 漢字 英語版 …………………… 1,800円+税
- 漢字 ベトナム語版 …………… 1,800円+税
- 漢字練習帳 ……………………… 900円+税
- 書いて覚える文型練習帳 …… 1,300円+税
- 導入・練習イラスト集 ……… 2,200円+税
- CD 5枚セット ………………… 8,000円+税
- 会話DVD ………………………… 8,000円+税
- 会話DVD PAL方式 ………… 8,000円+税
- 絵教材CD-ROMブック ……… 3,000円+税

みんなの日本語 初級II 第2版

- 本冊(CD付) …………………… 2,500円+税
- 翻訳・文法解説 ……………… 各2,000円+税
  英語版／中国語版／韓国語版／ドイツ語版／スペイン語版／ポルトガル語版／ベトナム語版／イタリア語版／フランス語版／ロシア語版(新版)／タイ語版／インドネシア語版
- 教え方の手引き ………………… 2,800円+税
- 初級で読めるトピック25 …… 1,400円+税
- 標準問題集 ……………………… 900円+税
- 漢字 英語版 …………………… 1,800円+税
- 漢字練習帳 ……………………… 1,200円+税
- 書いて覚える文型練習帳 …… 1,300円+税
- 導入・練習イラスト集 ……… 2,400円+税
- CD 5枚セット ………………… 8,000円+税
- 会話DVD ………………………… 8,000円+税
- 会話DVD PAL方式 ………… 8,000円+税
- 絵教材CD-ROMブック ……… 3,000円+税

みんなの日本語 初級 第2版

- やさしい作文 …………………… 1,200円+税

みんなの日本語 中級I

- 本冊(CD付) …………………… 2,800円+税
- 翻訳・文法解説 ……………… 各1,600円+税
  英語版／中国語版／韓国語版／ドイツ語版／スペイン語版／ポルトガル語版／フランス語版／ベトナム語版
- 教え方の手引き ………………… 2,500円+税
- 標準問題集 ……………………… 900円+税
- くり返して覚える単語帳 ……… 900円+税

みんなの日本語 中級II

- 本冊(CD付) …………………… 2,800円+税
- 翻訳・文法解説 ……………… 各1,800円+税
  英語版／中国語版／韓国語版／ドイツ語版／スペイン語版／ポルトガル語版／フランス語版／ベトナム語版
- 教え方の手引き ………………… 2,500円+税
- 標準問題集 ……………………… 900円+税
- くり返して覚える単語帳 ……… 900円+税

- 小説 ミラーさん
  —みんなの日本語初級シリーズ—
  …………………………………… 1,000円+税

スリーエーネットワーク

ウェブサイトで新刊や日本語セミナーをご案内しております。

http://www.3anet.co.jp/

みんなの日本語

Minna no Nihongo

初級Ⅱ 第2版

漢字 英語版 参考冊

Kanji Reference Booklet

スリーエーネットワーク

Target kanji and kanji words

< Notes >

・The kanji word listings are not exhaustive. There are other uses of the target kanji in other kanji words.
・The kanji appearing at the top of the page are the target kanji explained on that page.
・When the listing of kanji words is divided into two parts, the words in the upper part consititute the target kanji words to be learned in this book, while the ones in the lower part are there to show you other uses of the kanji. These materials will deepen your understanding of the system of kanji words.
・All the readings from the *Joyo Kanji List are shown at the bottom of each kanji entry.
*The Joyo Kanji List is a list of Chinese characters designated for daily use by the Japanese Ministry of Education and Science.
・The kanji presented at the bottom of the page are related kanji that you have already learned in 初級Ⅰ 第２版 漢字.

< Symbol usage >

[n] the unit where the kanji word is studied ("n" indicates the unit number.)
△ KUN reading (or Japanese reading) of the kanji
▲ ON reading (or Chinese reading) of the kanji
⇨ a kanji that has a common component with the target kanji
■ a word that includes a kanji (written in bold) corresponding with a component of the target kanji
[注] kanji that looks similar to the target kanji
＋ indicates that the kanji is not among the target kanji

＜注意＞

・漢字語の語例は包括的なものではありません。つまり、当該の学習漢字は他の漢字語でも使われることがあります。
・ページの上部にある漢字は当該のページで解説されている漢字を示します。
・漢字語の語例が２つの部分に分かれている場合は、上の部分が本書で学習する学習漢字語で、下の部分は学習漢字語ではありません。しかしながら、両者を勉強することで、漢字語のシステムを理解することができます。
・常用漢字表のすべての読み方が漢字語の語例の後に示されています。
*常用漢字表というのは、文部科学省が作成した漢字使用の目安を示した資料です。
・ページの下部にある漢字は、そのページで学習する漢字と字形の上で関係がある、『初級Ⅰ 第２版 漢字』で既習の漢字です。

＜記号の使用法＞

[n] 学習漢字語が提出されるユニット（n はユニットの数字を表します）
△ 漢字の訓読み（あるいは日本式読み）
▲ 漢字の音読み（あるいは中国式読み）
⇨ 学習漢字と同じコンポーネントを持つ漢字
■ 学習漢字のコンポーネントとなっている漢字（太字）を含む語
[注] 学習漢字と字形が似ている漢字
＋ その漢字が学習漢字に含まれないことを示す。

力 221

28 力(ちから) power, force, (physical) strength

35 入力(にゅうりょく)する key in

学力(がくりょく) academic ability

体力(たいりょく) physical strength

全力(ぜんりょく)で with all one's mighty, to the best of one's ability

+能力(のうりょく) ability, capacity

△ちから ▲りょく、りき

⇨動 172 働 268 勤 390 男 89 勢 472 勉 119 務 354

夕 222

32 夕方(ゆうがた) evening

夕日(ゆうひ) evening/setting sun

夕食(ゆうしょく) dinner cf. 朝食(ちょうしょく), 昼食(ちゅうしょく)

△ゆう ▲せき

⇨外 88 夢 426

工 223

38 工場(こうじょう) factory

工事(こうじ) construction

人工(じんこう)(の) man-made, artificial

工学(こうがく) engineering

工業製品(こうぎょうせいひん) manufactured goods

▲こう、く

⇨空 439

甘 224

34 甘(あま)い sweet

甘(あま)える behave like a spoiled child, demand attention

甘味料(かんみりょう) sweetener

△あま(い)、あま(える)、あま(やかす)

▲かん

太 225

44 太(ふと)い thick, big

太(ふと)る grow fat

太(たい)+陽(よう) the sun

△ふと(い)、ふと(る) ▲たい、た

牛 226

48 牛乳（ぎゅうにゅう） milk

牛肉（ぎゅうにく） beef

牛（うし） cow, bull, cattle

△うし ▲ぎゅう

⇨物 83 特 328

片 227

30 片づける（かた） *vt.* put in order, tidy (up), put away, finish

46 片づく（かた） *vi.* be put in order, be settled, be finished

片手（かたて） one hand/arm

片足（かたあし） one leg/foot

片道（かたみち） one-way (ticket)

△かた ▲へん

予 228

30 予習する（よしゅう） prepare lessons

30 予約する（よやく） reserve, make a reservation

31 予定（よてい） plan, schedule

47 天気予報（てんきよほう） weather forecast, weather report

▲よ

⇨野 380

不 229

25 不便な（ふべん） inconvenient

不足（ふそく） insufficiency, shortage

水不足（みずぶそく） water shortage

不安な（ふあん） uneasy, insecure

不十分な（ふじゅうぶん） inadequate

▲ふ、ぶ

心 230

28 熱心な（ねっしん） earnest

39 安心する（あんしん） feel relieved, stop worrying, feel at ease

40 心配な（しんぱい） worried, anxious

50 心（こころ） mind, heart, spirit

本心（ほんしん） one's real intention/mind

中心（ちゅうしん） center, middle

△こころ ▲しん

⇨悪 139 思 167 窓 213 意 217 急 418 忘 484 念 485 息 486 億 269

必　失　末　米　以　亡

必 231

36 必ず（かなら） surely, without fail

42 必要な（ひつよう） necessary

必ずしも（かなら） not always

cf. 必ずしも（かなら）〜ない＝ not always 〜, not necessarily 〜

△かなら（ず）　▲ひつ

失 232

47 失敗する（しっぱい） fail (to do 〜)

49 失礼します（しつれい） sorry to interrupt you, an expression used when one visits one's boss or professor at his/her office

---

失礼な（しつれい） impolite, rude

△うしな（う）　▲しつ

末 233

27 週末（しゅうまつ） weekend

△すえ　▲まつ、ばつ

米 234

43 米（こめ） rice

米国（べいこく） the United States

北米（ほくべい） North America

南米（なんべい） South America

△こめ　▲べい、まい

⇨料 160　番 491　奥 205　歯 445

以 235

40 〜以下（いか） less than 〜

45 以上です（いじょう） that's all

〜以上（いじょう） more than 〜

以前（いぜん） formerly

以後（いご） after that

〜以内（いない） within 〜

〜以外（いがい） except 〜

▲い

亡 236

47 亡くなる（な） pass away

△な（い）　▲ぼう、もう

⇨忘 484　忙 304

正 237

25 お正月（しょうがつ） the New Year
35 正しい（ただ） right, correct, just

正直な（しょうじき） honest
△ただ（しい）、ただ（す）、まさ
▲せい、しょう

世 238

25 世界（せかい） world
48 世話をする（せわ） take care of ～

世代（せだい） generation
二世（にせい） second generation (of immigrants/etc.)
中世（ちゅうせい） the Middle Ages, the medieval period
△よ ▲せい、せ
⇨葉 425

両 239

42 両親（りょうしん） father and mother, (both) parents

両手（りょうて） both hands
両足（りょうあし） both legs
両方（りょうほう） both
▲りょう

由 240

48 自由に（じゆう） freely

不自由な（ふじゆう） inconvenient, uncomfortable, handicapped
理由（りゆう） reason
△よし ▲ゆ、ゆう、ゆい
⇨届 508

皿 241

30 お皿（さら） plate, dish, saucer

+灰皿（はいざら） ashtray
皿洗い（さらあら） dish washing
△さら

用 242

24 用事（ようじ）　business, errand, engagement
33 使用禁止（しようきんし）　banning/prohibition of use, "Do not use!"
49 利用（りよう）する　use, make use of
50 用意（ようい）する　prepare

使用（しよう）する　use
用意（ようい）　preparation
用語（ようご）　(technical) term
用途（ようと）　use
＋費用（ひよう）　cost
用（もち）いる　use, employ, adopt
△もち（いる）　▲よう

冊 243

38 ～冊（さつ）　(counter for books)
▲さつ、さく

注　皿 241

曲 244

33 曲（ま）がる　*vi.* turn, bend
36 曲（きょく）　music, tune

曲（ま）げる　*vt.* bend
名曲（めいきょく）　famous tune/music
作曲（さっきょく）する　compose music
△ま（がる）、ま（げる）　▲きょく

注　皿 241

耳 245

24 耳（みみ）　ear

早耳（はやみみ）　quick-eared
△みみ　▲じ

⇨取 374　恥 375　聞 93

並 246

30 並（なら）べる　*vt.* line (things) up, put side by side, display, list
42 並（なら）ぶ　*vi.* stand in a line, line up, be parallel

並木（なみき）　row of trees (along a road/etc.)
△なみ、なら（べる）、なら（ぶ）、なら（びに）　▲へい

申 式 参 弱 卯 飛

申 247

50 申(もう)す　say, tell (humble)

申(もう)し上(あ)げる　say, tell (humble)
申(もう)し入(い)れ　offer, proposal
△もう（す）　▲しん

⇨神 340

式 248

50 結婚式(けっこんしき)　wedding (ceremony)

〜式(しき)　〜 ceremony
入学式(にゅうがくしき)　(school) entrance ceremony
卒業式(そつぎょうしき)　commencement/ graduation ceremony
正式(せいしき)に　formally
+公式(こうしき)の　official
▲しき

⇨試 369

参 249

50 参(まい)る　go, come (humble)

参(さん)+加(か)する　participate, take part in
参考書(さんこうしょ)　reference book
△まい（る）　▲さん

弱 250

25 弱(よわ)い　weak　cf. 強(つよ)い strong, tough

弱(よわ)まる　*vi.* become weak
弱(よわ)める　*vt.* weaken
弱点(じゃくてん)　weak point
△よわ（い）、よわ（る）、よわ（まる）、よわ（める）　▲じゃく

卯 251

38 卯(たまご)　egg
△たまご　▲らん

注　迎 515

飛 252

31 飛行機(ひこうき)　airplane

飛行場(ひこうじょう)　airfield　cf. 空港(くうこう) airport
飛(と)ぶ　fly
△と（ぶ）、と（ばす）　▲ひ

次 253

34 次に(つぎ) then, next
40 二次会(にじかい) after-party, second party

次男(じなん) second son
次回(じかい) next time
目次(もくじ) table of contents
△つ(ぐ)、つぎ ▲じ、し
⇨吹 315 飲 82 歌 216 欲 397
■+欠席する(けっせき) not attend, be absent

冷 254

32 冷やす(ひ) *vt.* chill, cool

冷たい(つめ) cold cf. 寒い(さむ) 443 (冷たい(つめ) is used for things cold to the touch, whereas 寒い(さむ) is used for air temperature.)
冷える(ひ) *vi.* become cold
冷+蔵+庫(れいぞうこ) refrigerator
△つめ(たい)、ひ(える)、ひ(や)、ひ(やす)、ひ(やかす)、さ(める)、さ(ます) ▲れい
■+命+令する(めい れい) give a command

化 255

42 文化(ぶんか) culture

化学(かがく) chemistry
cf. 科学(かがく) science
自由化(じゆうか) deregulation
合理化(ごうりか) rationalization
～化する(か) ～ -fold
～化(か) ～ -ization
△ば(ける)、ば(かす) ▲か、け
⇨北 157 死 343 靴 385

付 256

29 付く(つ) be attached, be accompanied
35 受付(うけつけ) reception/information desk
35 付ける(つ) attach, affix, apply
△つ(ける)、つ(く) ▲ふ
⇨村 330 寺 432
■+寸(すん) Japanese inch

休 47 何 49 借 115 使 130 作 131 便 143 仕 152 住 181 体 197 亻 suggests a connection with human beings/human actions.

代 257

39 〜代(だい) 〜 charge/fee (as in 電気代(でんきだい), ガス代(だい), 電話代(でんわだい), etc.)

世代(せだい) generation
時代(じだい) age, era, period
古代(こだい) ancient times, antiquity
+現代(げんだい) modern times, the present age
〜代(だい) 〜 ties (as in "during the twenties")

△か(わる)、か(える)、よ、しろ

▲だい、たい

伝 258

33 伝(つた)える tell, report, communicate
48 手伝(てつだ)う help, assist

伝言(でんごん) message

△つた(わる)、つた(える)、つた(う)

▲でん

伺 259

50 伺(うかが)う visit, ask, inquire (humble)

△うかが(う) ▲し

■+司会(しかい) master of ceremonies

低 260

25 低(ひく)い low, short

最低(さいてい)の worst, lowest
cf. 最高(さいこう)の best, highest

△ひく(い)、ひく(める)、ひく(まる)

▲てい

注 紙 106

倍 261

44 〜倍(ばい) 〜 -fold, 〜 magnification

▲ばい

⇨部 210

係 262

46 係員(かかりいん) attendant, clerk in charge

△かか(る)、かかり ▲けい

側 263

29 ～側(がわ) ～ (-hand) side

32 南側(みなみがわ) south side

右側(みぎがわ) right-hand side

左側(ひだりがわ) left-hand side

両側(りょうがわ) both sides

外側(そとがわ) outside

内側(うちがわ) inside

窓側(まどがわ) window side (as in “window seat”)

△がわ ▲そく

⇨利 144 倒 264 到 391 別 392 割 393

■ +規(き)+**則**(そく) rule, regulation

倒 264

39 倒(たお)れる *vi.* fall over, collapse, break down

倒(たお)す *vt.* beat, defeat, overthrow

△たお（れる）、たお（す） ▲とう

⇨利 144 側 263 到 391 別 392 割 393

値 265

45 値段(ねだん) price

△ね、あたい ▲ち

修 266

27 修理(しゅうり)する do repairs, fix

△おさ（める）、おさ（まる）

▲しゅう、しゅ

備 267

48 準備(じゅんび) preparation

△そな（える）、そな（わる） ▲び

働 268

45 働(はたら)く work

+労働(ろうどう) labor

△はたら（く） ▲どう

⇨重 140 動 172 勤 390 力 221 勉 119 男 89

億 269

47 億(おく) 100 million

▲おく

⇨意 217 音 185 心 230

優 270

50 優勝(ゆうしょう)する win the victory/championship

△やさ（しい）、すぐ（れる） ▲ゆう

役 271

26 市役所（しやくしょ） city office

役に立つ（やく　た） useful

▲やく、えき

⇨投 319　段 401

彼 272

46 彼（かれ） he, boyfriend

46 彼女（かのじょ） she, girlfriend

△かれ、かの　▲ひ

⇨波 277　疲 510

■+**皮**（かわ） skin

徒 273

48 生徒（せいと） pupil

キリスト教徒（きょうと） Christian

イスラム教徒（きょうと） Muslim

+仏教徒（ぶっきょうと） Buddhist

▲と

⇨起 98　走 433　越 526

律 274

42 法律（ほうりつ） law, act

▲りつ、りち

復 275

30 復習する（ふくしゅう） review

+往復する（おうふく） go and come back

▲ふく

池 276

37 池（いけ） pond

電池（でんち） battery

△いけ　▲ち

⇨地 150

波 277

27 波（なみ） wave, tide

△なみ　▲は

⇨彼 272　疲 510

汚 278

29 汚れる（よご） *vi.* get dirty, become soiled, be polluted/contaminated

37 汚す（よご） *vt.* make (something) dirty, stain, soil

39 汚い（きたな） dirty

△けが（す）、けが（れる）、けが（らわしい）、よご（す）、よご（れる）、きたな（い）

▲お

後 46　行 50　待 123　彳 suggests a connection with coming or going.

酒 103　漢 174　海 208　氵 suggests a connection with water.

決 279

31 決める　*vt.* decide, judge

決まる　*vi.* be decided

決勝　final game (of a tournament/championship/etc.)

△き（める）、き（まる）　▲けつ

油 280

37 石油　oil

△あぶら　▲ゆ

泊 281

49 泊まる　stay, stop

二泊三日　(trip of) three days and two nights

△と（まる）、と（める）　▲はく

⇨白 68

泣 282

44 泣く　cry

泣き声　cry, tearful voice

△な（く）　▲きゅう

⇨立 124

泳 283

36 水泳　swimming

36 泳ぐ　swim

△およ（ぐ）　▲えい

■+永遠の　eternal, perpetual

沸 284

42 沸かす　*vt.* heat up, boil

沸く　*vi.* boil, be ready (as in bath water)

△わ（く）、わ（かす）　▲ふつ

法 285

41 文法　grammar

41 方法　method

42 法律　law, act

▲ほう、はっ、ほっ

⇨去 54

治 活 注 洋 洗 浴

治 286

42 政治（せいじ） politics

44 治る（なおる） *vi.* heal, be cured, get better

治す（なおす） *vt.* cure, remedy

政治家（せいじか） politician

△おさ（める）、おさ（まる）、なお（る）、なお（す） ▲じ、ち

⇨台 474 始 311

活 287

35 生活（せいかつ） life

活動（かつどう） activity

活発な（かっぱつな） lively, active

▲かつ

⇨話 96 辞 366

■⁺舌（した） tongue

注 288

37 注意する（ちゅういする） warn, caution, take notice of

注目する（ちゅうもくする） pay attention, watch, keep one's eye on

注文する（ちゅうもんする） order

注ぐ（そそぐ） pour

△そそ（ぐ） ▲ちゅう

⇨主 78 駐 387

洋 289

44 洋食（ようしょく） western food

洋服（ようふく） (Western-style) clothes

西洋（せいよう） the West

東洋（とうよう） the East

太⁺平洋（たいへいよう） the Pacific Ocean

大西洋（たいせいよう） the Atlantic Ocean

▲よう

⇨遅 521

■⁺羊（ひつじ） sheep

洗 290

29 洗う（あらう） wash

お手洗い（おてあらい） lavatory, toilet

洗⁺濯する（せんたくする） do laundry

洗⁺濯機（せんたくき） washing machine

水洗トイレ（すいせんトイレ） flush toilet

△あら（う） ▲せん

⇨先 27

浴 291

34 浴びる（あびる） take (a shower), bathe

△あ（びる） ▲よく

消 292

43 消(き)える　*vi.* go out (as in light/candle), disappear

消(け)す　*vt.* switch off (a light), turn off (the gas), erase, wipe out, cross out

消(け)しゴム　eraser

取(と)り消(け)す　cancel

消(しょう)化(か)する　digest

△き（える）、け（す）　▲しょう

涼 293

35 涼(すず)しい　cool

△すずし（い）、すず（む）　▲りょう

⇨京 158

済 294

32 経済(けいざい)　economy, economics

△す（む）、す（ます）　▲さい

渡 295

36 渡(わた)る　*vi.* go across, go over

46 渡(わた)す　*vt.* hand (over)

△わた（る）、わた（す）　▲と

⇨度 182

港 296

35 港(みなと)　harbor, port

49 空港(くうこう)　airport

港(みなと)町(まち)　port town

△みなと　▲こう

⇨配 381　記 367　包 444

■自(じ)+己(こ)中(ちゅう)心(しん)の　egocentric

湯 297

35 湯(ゆ)　hot water

湯気(ゆげ)　steam

熱湯(ねっとう)　boiling water

△ゆ　▲とう

⇨場 298

場 増 険 隅 階

場 298

25 売り場(うりば) sales counter
26 駐車場(ちゅうしゃじょう) parking lot
26 場所(ばしょ) place, site
38 工場(こうじょう) factory
45 場合(ばあい) occasion, case

会場(かいじょう) hall
立場(たちば) standpoint, viewpoint
飛行場(ひこうじょう) airfield cf. 空港(くうこう) airport
△ば ▲じょう

⇨湯 297

増 299

43 増える(ふえる) *vi.* increase

増やす(ふやす) *vt.* increase
増+加する(ぞうかする) increase
増大する(ぞうだいする) expand, increase
倍増する(ばいぞうする) double
△ま(す)、ふ(える)、ふ(やす) ▲ぞう

険 300

33 危険(きけん) danger

+保険(ほけん) insurance
険悪な(けんあくな) hostile
険しい(けわしい) steep, stern
△けわ(しい) ▲けん

⇨験 388

■+**剣**(けん) sword

隅 301

30 隅(すみ) corner cf. +角(かど)
(While 隅(すみ) denotes an inside corner, +角(かど) denotes an outside one.)
△すみ ▲ぐう

■+**偶**然(ぐうぜん) by chance, by coincidence

階 302

27 ～階(かい／がい) ～ floor

段階(だんかい) stage (in a project/etc.)
▲かい

⇨皆 490

地(150) 扌(土7) suggests a connection with land/soil.
降(166) 院(196) 阝 suggests a connection with hilly terrain/soil.

際 303

32 国際(こくさい)～ international ～

国際連合(こくさいれんごう) the United Nations

国際(こくさい)+的(てき)な international

△きわ ▲さい

⇨祭 494

■+警(けい)+察(さつ) police

忙 304

48 忙(いそが)しい busy

△いそが（しい） ▲ぼう

⇨亡 236 忘 484

怖 305

47 怖(こわ)い be afraid of

怖(こわ)がる be afraid of

+恐(きょう)怖(ふ) fear, horror, terror

△こわ（い） ▲ふ

■+布(ぬの) cloth

慣 306

36 慣(な)れる be used to

38 習(しゅう)慣(かん) custom, common practice, habit

見(み)慣(な)れた familiar

慣(かん)習(しゅう) rules and conventions

△な（れる）、な（らす） ▲かん

⇨員 30 買 97 貸 114 負 417 質 464 賃 499 資 500

■+貫(つらぬ)く pierce, penetrate

将 307

31 将(しょう)来(らい) future, in the future

▲しょう

狭 308

39 狭(せま)い narrow, small (room/etc.)

△せま（い）、せば（める）、せば（まる）

▲きょう

引 309

30 引き出し(ひ だ) drawer
49 引っ越しする(ひ こ) move out

引く(ひ) pull, draw (curtains/ a bowstring/etc.)
引き出す(ひ だ) pull out, take out, withdraw
長引く(なが び) be prolonged, be protracted
引き返す(ひ かえ) turn/come back, return
引っかかる(ひ) be caught by
引き分け(ひ わ) draw, tie (as in a game)
取引(とりひき) trading, deal
引力(いんりょく) gravity, gravitational force
引用する(いんよう) cite
引+退する(いん たい) retire
強引な(ごういん) overbearing, coercive, pushy
△ひ（く）、ひ（ける） ▲いん

■+弓(ゆみ) bow

張 310

49 出張する(しゅっちょう) make a business trip
△は（る） ▲ちょう

⇨長 137

始 311

24 始める(はじ) *vt.* begin, start, commence
33 始まる(はじ) *vi.* begin, start, commence

始まり(はじ) beginning
始め(はじ) outset, beginning
開始する(かいし) begin, start, commence
始発(しはつ) the first train/bus of the day
△はじ（める）、はじ（まる） ▲し

⇨台 474 治 286

娘 312

41 娘(むすめ) daughter, younger woman
△むすめ

⇨食 81 安 62 妻 476 要 477

■+良心(りょうしん) conscience

婚 313

35 結婚する(けっこん) get married
47 婚約する(こんやく) get engaged
50 結婚式(けっこんしき) wedding (ceremony)
▲こん

吸 314

33 吸う(す) smoke, inhale, suck, absorb

呼吸(こきゅう) breathing, respiration
△す（う） ▲きゅう

■+及ぶ(およ) affect, reach

強 120 好 77 姉 206 妹 207 女（女 90） suggests a connection with women.
味 218 口（口 162） suggests a connection with the mouth.

吹 315

47 吹く(ふ) blow, exhale

△ふ(く) ▲すい

⇨飲 82 歌 216 次 253 欲 397

■+欠席する(けっせき) not attend, be absent

呼 316

37 呼ぶ(よ) call, call out to, invite

呼び出す(よ だ) ask to come

呼吸(こ きゅう) breathing, respiration

△よ(ぶ) ▲こ

咲 317

43 咲く(さ) bloom, blossom

△さ(く)

払 318

42 払う(はら) pay

△はら(う) ▲ふつ

⇨私 348 去 54 広 134 台 474

投 319

33 投げる(な) throw, pitch

△な(げる) ▲とう

⇨役 271 段 401

押 320

35 押す(お) push, press

押し入れ(お い) closet

△お(す)、お(さえる) ▲おう

■+甲(こう) back (of a hand), top (of a foot)

拝 321

50 拝見する(はいけん) see, have a look at (humble)

△おが(む) ▲はい

招 322

37 招待する(しょうたい) invite

招く(まね) invite

△まね(く) ▲しょう

■+紹+介する(しょう かい) introduce

拾 323

26 拾う(ひろ) pick up, gather

△ひろ(う) ▲しゅう、じゅう

⇨合 412

持 (187) 扌 suggests a connection with hands.

捨 324

26 捨(す)てる　throw away, dispose of

見捨(みす)てる　walk out on, forsake

△す（てる）　▲しゃ

■校(こう)+舎(しゃ)　school building

換 325

35 換(か)える　exchange, replace

乗(の)り換(か)える　transfer (to another train/bus/etc.)

交換(こうかん)する　exchange, replace

換気(かんき)する　ventilate

△か（える）、か（わる）　▲かん

帽 326

26 帽子(ぼうし)　hat, cap

▲ぼう

■+冒険(ぼうけん)　adventure

焼 327

46 焼(や)く　*vt.* burn, roast, bake, broil, grill, toast, fire (pottery), scorch

46 焼(や)ける　*vi.* be burnt, be baked, be toasted, be roasted, be suntanned

日焼(ひや)け　suntan

夕焼(ゆうや)け　evening glow

△や（く）、や（ける）　▲しょう

⇨火 3

特 328

25 特急(とっきゅう)　special express (train)

25 特(とく)に　specially, particularly

36 特別(とくべつ)な　special, particular

特長(とくちょう)　strong point, merit

特色(とくしょく)　characteristic feature

▲とく

⇨寺 432　時 41　待 123　持 187

机 329

30 机(つくえ)　desk

△つくえ　▲き

村 330

38 村(むら)　village

村長(そんちょう)　village mayor

△むら　▲そん

⇨付 256　寺 432

■+寸(すん)　Japanese inch

物 83　校 52　木（木 5）suggests a connection with trees/wood.

枚　相　格　様　横　橋

枚 331

43 ～枚（まい）　(counter for thin, flat objects, such as paper)

▲まい

⇨教 117　政 398　散 399　数 400

相 332

46 相談（そうだん）する　take counsel (together)

47 相手（あいて）　the other side, other party

49 首相（しゅしょう）　prime minister

△あい　▲そう、しょう

格 333

49 合格（ごうかく）する　pass (an exam)

▲かく、こう

様 334

49 奥様（おくさま）　wife (honorific)

49 ～様（さま）　Mr./Ms. ～ (mainly used in writing)

50 皆様（みなさま）　everybody (honorific)

多様（たよう）な　diverse, various

多様 +性（たようせい）　diversity

多様化（たようか）　diversification (of lifestyles/ needs/etc.)

同様（どうよう）の　similar

様子（ようす）　situation, appearance, aspect

神様（かみさま）　God, gods

△さま　▲よう

横 335

26 横（よこ）　side, beside, horizontal

cf. +縦（たて） vertical

横切（よこぎ）る　cross

△よこ　▲おう

■ +黄色（きいろ）い　yellow

橋 336

35 橋（はし）　bridge

歩道橋（ほどうきょう）　pedestrian bridge

△はし　▲きょう

機 337

31 飛行機(ひこうき) airplane
35 機会(きかい) opportunity, occasion
41 コピー機(き) photocopier

機⁺械(きかい) machine
機内(きない) inside an airplane
機内食(きないしょく) inflight meal
〜機(き) 〜 machine
△はた　▲き

礼 338

49 失礼します(しつれい) sorry to interrupt you, an expression used when one visits one's boss or professor at his/her office

---

失礼な(しつれい) impolite, rude
礼(れい) courtesy, gratitude, bow
▲れい、らい

祝 339

41 お祝い(いわ) celebration

結婚祝い(けっこんいわ) wedding celebration, wedding present
祝日(しゅくじつ) national holiday
祝電(しゅくでん) telegram of congratulations
祝辞(しゅくじ) congratulatory address/ speech
△いわ（う）　▲しゅく、しゅう

⇨兄 203

神 340

31 神社(じんじゃ) shrine

神(かみ) God, gods
神父(しんぷ) Catholic priest, Father
神話(しんわ) myth, mythology
神主(かんぬし) Shinto priest
△かみ、かん、こう　▲しん、じん

⇨申 247

祖 341

41 祖母(そぼ) grandmother

祖父(そふ) grandfather
祖先(そせん) ancestor
▲そ

社 (29) ネ suggests a connection with god/something spiritual.

残 342

40	残る (のこ)	*vi.* remain, stay
45	残念な (ざんねん)	regrettable, unfortunate

残す (のこ)	*vt.* leave (behind), save (for later use)
残り (のこ)	remainder, remnant, surplus
残らず (のこ)	completely, without exception
残業 (ざんぎょう)	overtime work
残金 (ざんきん)	remaining money, balance

△のこ（る）、のこ（す）　▲ざん

死 343

39	死ぬ (し)	die, be killed

死人 (しにん)	dead person, the dead
死者 (ししゃ)	the deceased, the dead
死 (し)	death

△し（ぬ）　▲し

⇨北 157　化 255

珍 344

41	珍しい (めずら)	rare, unusual

△めずら（しい）　▲ちん

■⁺王 (おう)　king

暖 345

43	暖かい (あたた)	warm

暖める (あたた)	*vt.* warm, heat
暖まる (あたた)	*vi.* get warm, be warmed
暖冬 (だんとう)	mild winter
暖⁺房 (だんぼう)	heating

△あたた（か）、あたた（かい）、あたた（まる）、あたた（める）　▲だん

勝 346

32	勝つ (か)	win (the game/war/etc.) cf. 負ける (ま) lose (the game), be defeated
50	優勝する (ゆうしょう)	win the tournament/championship

勝者 (しょうしゃ)	winner
勝利 (しょうり)	victory
勝負 (しょうぶ)	game, match
決勝 (けっしょう)	final game

△か（つ）、まさ（る）　▲しょう

⇨月 2

理 161　晩 40　時 41　映 107　明 132　暗 133　曜 165　服 183　日 (日 1) suggests a connection with the sun/day.

眠 347

28 眠い（ねむい） sleepy

44 眠る（ねむる） sleep

△ねむ（る）、ねむ（い）　▲みん

⇨目 163

■ ⁺民主主⁺義（みんしゅしゅぎ） democracy

私 348

50 私（わたくし） me, I

私立大学（しりつだいがく） private university/college cf. 国立大学（こくりつだいがく） national university/college

△わたくし、わたし　▲し

⇨払 318

科 349

47 科学（かがく） science cf. 化学（かがく） chemistry

教科書（きょうかしょ） textbook

外科（げか） surgery

内科（ないか） internal medicine

歯科（しか） dentistry

▲か

⇨料 160

初 350

36 初め（はじめ） (at) the beginning

38 初めて（はじめて） for the first time

50 初めに（はじめに） first

最初に（さいしょに） at the beginning

初⁺恋（はつこい） one's first love

△はじ（め）、はじ（めて）、はつ、うい、そ（める）　▲しょ

⇨切 113

■⁺刀（かたな） sword

複 351

39 複雑な（ふくざつな） complex, complicated

▲ふく

研 352

24 研究する（けんきゅうする） study, do research, investigate

38 研究室（けんきゅうしつ） research laboratory, research room, professor's office

---

研究所（けんきゅうじょ） research institute

研究者（けんきゅうしゃ） researcher

△と（ぐ）　▲けん

⇨石 473　形 395　開 214

確 353

40 確かめる（たし） make sure, confirm

確かに（たし） certainly, surely
確+認する（かく　にん） make sure, confirm
△たし（か）、たし（かめる）　▲かく

務 354

47 事務所（じむしょ） office

事務室（じむしつ） office (room)
事務（じむ） clerical work
事務員（じむいん） office clerk
+公務員（こうむいん） public official, civil servant
外務+省（がいむしょう） Ministry of Foreign Affairs
国務+省（こくむしょう） U.S. Department of State
△つと（める）、つと（まる）　▲む

⇨力 221　柔 480

約 355

30 予約する（よやく） make a reservation
47 婚約する（こんやく） get engaged

予約席（よやくせき） reserved seat
約+束する（やくそく） promise
先約（せんやく） previous engagement
+公約（こうやく） public pledge, (campaign) promise
約～（やく） about ～ , approximately ～
▲やく

経 356

28 経験する（けいけん） experience, go through
32 経済（けいざい） economy, economics

経理（けいり） accounting
神経（しんけい） nervous system, nerve
△へ（る）　▲けい、きょう

⇨軽 141

組 357

34 番組（ばんぐみ） TV program
34 組み立てる（く　た） assemble
49 ～年～組（ねん　くみ） class ～ of ～ -th grade
△く（む）、くみ　▲そ

結 358

35 結婚する（けっこん） get married
50 結婚式（けっこんしき） wedding (ceremony)
△むす（ぶ）、ゆ（う）、ゆ（わえる）

▲けつ

紙 106　終 169　糸 suggests a connection with thread/yarn.

給 359

45 給料（きゅうりょう） salary

▲きゅう

絡 360

30 連絡（れんらく）する contact

△から（む）、から（まる）、から（める）

▲らく

■+各自（かくじ） by each person

絵 361

37 絵（え） picture, painting, drawing

41 絵（え）はがき picture postcard

41 絵本（えほん） picture book

絵画（かいが） painting

▲かい、え

⇨会 28

続 362

32 続（つづ）く *vi.* continue

38 続（つづ）ける *vt.* continue

話（はな）し続（つづ）ける continue talking/speaking

cf. ～続（つづ）ける

continue ～ ing

降（ふ）り続（つづ）く continue raining（降（ふ）り続（つづ）く is the only exception. "Continue ～ ing" is normally expressed using ～続（つづ）ける.)

続（つづ）き continuation

手続（てつづ）き procedure

△つづ（く）、つづ（ける） ▲ぞく

⇨売 129 読 94

緑 363

42 緑（みどり） green

緑色（みどりいろ） green

緑地（りょくち） green space

△みどり ▲りょく、ろく

練 364

32 練習（れんしゅう）する practice, drill, rehearse

洗練（せんれん）された sophisticated

△ね（る） ▲れん

⇨東 154

船 365

[36] 船(ふね) ship

船員(せんいん) sailor, crew
船長(せんちょう) captain
船室(せんしつ) cabin (of a ship)
+客船(きゃくせん) passenger ship
風船(ふうせん) (toy) balloon
船旅(ふなたび) voyage
船便(ふなびん) surface mail
△ふね、ふな　▲せん

■+舟(ふね) boat

辞 366

[43] 辞書(じしょ) dictionary

お世辞(せじ) flattery
辞める(や) resign
△や（める）　▲じ

⇨話 96　活 287

■+舌(した) tongue

記 367

[36] 日記(にっき) diary

記事(きじ) article
記者(きしゃ) journalist
記号(きごう) sign, mark, symbol
暗記する(あんき) memorize
△しる（す）　▲き

⇨配 381　港 296　包 444

■自(じ)+己(こ)中心(ちゅうしん)の egocentric

談 368

[46] 相談する(そうだん) take counsel (together)
▲だん

試 369

[24] 試験(しけん) examination
[31] 入学試験(にゅうがくしけん) entrance examination
[32] 試合(しあい) match, game

試運転(しうんてん) test/trial run
試す(ため) try
△こころ（みる）、ため（す）　▲し

⇨式 248

説 370

[28] 説明する(せつめい) explain
[31] 小説(しょうせつ) novel
[34] 説明書(せつめいしょ) operating manual
△と（く）　▲せつ、ぜい

読(94) 話(96) 語(111) 計(209) 言（言 170）suggests a connection with language activities.

誌 371

47 雑誌（ざっし） magazine, journal

▲し

調 372

29 調べる（しら） study, investigate, examine

32 調子（ちょうし） condition

調子がいい（ちょうし） be in good health, be in good order

強調する（きょうちょう） emphasize

△しら（べる）、ととの（う）、ととの（える）

▲ちょう

⇨週 53

議 373

26 会議（かいぎ） meeting, conference

26 国会議事堂（こっかいぎじどう） Diet building

27 会議室（かいぎしつ） meeting room, conference room

議長（ぎちょう） chairperson

議会（ぎかい） congress, parliament

議員（ぎいん） member of an assembly/the Diet/Congress/etc.

不思議な（ふしぎ） strange, mysterious

▲ぎ

■+**義**務（ぎむ） duty, obligation

取 374

29 取る（と） take, get, hold

41 取り替える（と・か） change (parts/etc.)

取り出す（と・だ） take out

取り入れる（と・い） accept, adopt

受け取る（う・と） receive, accept

△と（る）　▲しゅ

⇨耳 245　恥 375　聞 93　最 449

恥 375

39 恥ずかしい（は） be embarrassed/ashamed

恥（はじ） shame, disgrace

△は（じる）、はじ、は（じらう）、は（ずかしい）　▲ち

⇨耳 245　心 230　取 374　聞 93

敗 376

47 失敗する（しっぱい） fail (to do ～)

△やぶ（れる）　▲はい

輸 377

37 輸出(ゆしゅつ)する export
37 輸入(ゆにゅう)する import

輸送(ゆそう)する transport
空輸(くうゆ)する send by air
▲ゆ

触 378

33 触(さわ)る touch

触(ふ)れる touch
△ふ（れる）、さわ（る）　▲しょく

■ ⁺虫(むし) insect, worm

踊 379

34 踊(おど)る dance

踊(おど)り dance
△おど（る）、おど（り）　▲よう

⇨通 518

野 380

36 野菜(やさい) vegetable

分野(ぶんや) field (of study/etc.)
野生(やせい)の wild
△の　▲や

⇨予 228

配 381

40 心配(しんぱい)な worrying, anxious

心配(しんぱい)する worry
配(くば)る distribute, deliver
配達(はいたつ)する deliver
△くば（る）　▲はい

⇨記 367　港 296　包 444

■ 自(じ)⁺己(こ)中心(ちゅうしん)の egocentric

乾 382

46 乾(かわ)く become dry, dry out

乾(かん)⁺燥機(そうき) drying machine
△かわ（く）、かわ（かす）　▲かん

転 (60)　軽 (141)　車 (車 58) suggests a connection with cars/transportation.　朝 (38)

静 383

44 静(しず)かな　quiet, silent, calm, peaceful

静(しず)まる　calm down
冷静(れいせい)な　cool-headed
静電気(せいでんき)　static electricity
△しず、しず（か）、しず（まる）、しず（める）　▲せい、じょう

⇨青 67

■+戦(せん)+争(そう)　war, battle

飯 384

25 ご飯(はん)　cooked rice, meal, food

夕飯(ゆうはん)　dinner
△めし　▲はん

⇨返 514

■+反(はん)+対(たい)の　opposite

靴 385

40 靴(くつ)　shoes
41 靴下(くつした)　socks

靴屋(くつや)　shoe store
△くつ　▲か

⇨化 255

報 386

47 天気予報(てんきよほう)　weather forecast, weather report

報(ほう)+告(こく)する　report
電報(でんぽう)　telegram
+情報(じょうほう)　information
△むく（いる）　▲ほう

⇨服 183

駐 387

26 駐車場(ちゅうしゃじょう)　parking lot

駐(ちゅう)+輪場(りんじょう)　bicycle parking lot
駐車禁止(ちゅうしゃきんし)　No Parking
▲ちゅう

■+馬(うま)　horse

験 388

24 試験(しけん)　examination, test
28 経験(けいけん)　experience
31 入学試験(にゅうがくしけん)　entrance examination
47 実験(じっけん)　experiment

受験(じゅけん)する　take an exam
▲けん、げん

⇨険 300

■+馬(うま)　horse

飲 82　館 178　飠（食 81）suggests a connection with food/eating.
駅 56　馬 suggests a connection with horses/transportation.

乳 389

48 牛乳（ぎゅうにゅう） milk

母乳（ぼにゅう） mother's milk

△ちち、ち ▲にゅう

勤 390

49 勤める（つと） work

通勤する（つうきん） commute

出勤する（しゅっきん） go/come to work

転勤する（てんきん） be transferred to another office

勤務時間（きんむじかん） working hours

△つと（める）、つと（まる） ▲きん、ごん

⇨力 221 働 268 勉 119 男 89

到 391

50 到着する（とうちゃく） arrive

▲とう

⇨側 263 倒 264

別 392

36 特別な（とくべつ） special, particular

47 別れる（わか） part, separate

別の（べつ） different, separate, another

別々に（べつべつ） separately

△わか（れる） ▲べつ

⇨側 263 倒 264

割 393

44 割れる（わ） *vi.* break, be broken

割る（わ） *vt.* divide, break

割引（わりびき） discount

割合（わりあい） rate

役割（やくわり） role

△わ（る）、わり、わ（れる）、さ（く）

▲かつ

⇨側 263 倒 264

都 394

40 都合（つごう） convenience, circumstances

京都（きょうと） Kyoto

東京都（とうきょうと） Tokyo metropolitan area

都内（とない） within Tokyo

都会（とかい） city

△みやこ ▲と、つ

⇨者 32 暑 450

動 172　力（力 221） suggests a connection with power/labor.　利 144

部 210　阝 suggests a connection with villages/places where people live.

形 395

28 形（かたち） shape, form, figure
30 人形（にんぎょう） doll

三+角形（さんかくけい） triangle
正方形（せいほうけい） square
長方形（ちょうほうけい） rectangle
△かた、かたち　▲けい、ぎょう

⇨研 352　開 214

所 396

26 市役所（しやくしょ） city office
26 場所（ばしょ） place, site
28 台所（だいどころ） kitchen
29 住所（じゅうしょ） address
30 元の所（もとのところ） original place
35 近所（きんじょ） neighborhood
35 所（ところ） place
47 事務所（じむしょ） office

名所（めいしょ） famous place/site
研究所（けんきゅうじょ） research institute
発電所（はつでんしょ） electric power plant
所長（しょちょう） director (of an institute/etc.)
長所（ちょうしょ） strong point, merit
短所（たんしょ） weak point, shortcoming
△ところ　▲しょ

⇨近 84

欲 397

42 欲しい（ほしい） want

食欲（しょくよく） appetite
+性欲（せいよく） sexual desire, sex drive
無欲な（むよくな） free from avarice, unselfish
△ほっ（する）、ほ（しい）　▲よく

⇨次 253　吹 315

■+谷（たに） valley

■+欠席する（けっせきする） be absent

政 398

42 政治（せいじ） politics

政治家（せいじか） politician
政+府（せいふ） government
行政（ぎょうせい） administration
△まつりごと　▲せい、しょう

⇨枚 331

散 399

38 散歩する（さんぽする） walk
△ち（る）、ち（らす）、ち（らかす）、
ち（らかる）　▲さん

⇨枚 331

新 65　飲 82　歌 216　教 117

数 400

40 数える（かぞ） count

数（かず） number
人数（にんずう） number of people
△かず、かぞ（える） ▲すう、す

⇨枚 331

段 401

45 値段（ねだん） price

階段（かいだん） stairs
段（だん） steps
石段（いしだん） flight of stone steps
手段（しゅだん） means, measure
段階（だんかい） stage (in a project/etc.)
▲だん

⇨役 271 投 319

雑 402

39 複雑な（ふくざつ） complex, complicated
47 雑誌（ざっし） magazine, journal
▲ざつ、ぞう

難 403

38 難しい（むずか） difficult

困難（こんなん） hardship, difficulty
難病（なんびょう） intractable disease
難点（なんてん） defect
△かた（い）、むずか（しい） ▲なん

⇨集 481 曜 165 漢 174

頼 404

37 頼む（たの） ask (a favor), request

頼る（たよ） rely on
△たの（む）、たの（もしい）、たよ（る）
▲らい

⇨題 527

頭 405

44 頭（あたま） head

頭痛（ずつう） headache
△あたま、かしら ▲とう、ず、と

⇨短 138 題 527

■+豆（まめ） bean

顔 406

31 顔（かお） face

顔色（かおいろ） complexion, look
笑顔（えがお） smiling face
△かお ▲がん

⇨題 527

願 407

27 お願(ねが)いします　please, I would like to ask your favor

△ねが（う）　▲がん

文 408

41 作文(さくぶん)　composition, essay
41 文法(ぶんぽう)　grammar
42 文化(ぶんか)　culture
47 文学(ぶんがく)　literature

文(ぶん)　sentence
文体(ぶんたい)　style
文明(ぶんめい)　civilization
人文科学(じんぶんかがく)　humanities
文字(もじ)　letter (of the alphabet/etc.)

△ふみ　▲ぶん、もん

市 409

26 市役所(しやくしょ)　city office

△いち　▲し

～市(し)　～ city

交 410

39 交通(こうつう)　traffic, transportation
47 交番(こうばん)　police station

外交(がいこう)　diplomacy
国交(こっこう)　diplomatic relations

△まじ（わる）、まじ（える）、ま（じる）、ま（ざる）、ま（ぜる）、か（う）、か（わす）

▲こう

⇨校 52

卒 411

46 卒業(そつぎょう)する　graduate

卒業生(そつぎょうせい)　graduate
卒業式(そつぎょうしき)　commencement/graduation ceremony

▲そつ

合 412

32 試合(しあい)　match, game
32 間(ま)に合(あ)う　be in time, be enough
39 お見合(みあ)い　marriage meeting
40 都合(つごう)　convenience
40 合(あ)う　fit
45 場合(ばあい)　case
46 具合(ぐあい)　condition
47 知(し)り合(あ)う　get to know
49 合格(ごうかく)する　pass

△あ（う）、あ（わす）、あ（わせる）

▲ごう、がっ、かっ

⇨拾 323

六 16　高 61　立 124　京 158　夜 159　方 176　　金 6　会 28　今 37　食 81

全　直　色　危　負　急

全 413

[42] 全部（ぜんぶ）　everything, all

[44] 安全な（あんぜんな）　safe

△まった（く）、すべ（て）　▲ぜん

直 414

[41] 直す（なおす）　*vt.* repair, fix, correct, revise, improve

直る（なおる）　*vi.* be repaired, be fixed

見直す（みなおす）　reconsider

直通電話（ちょくつうでんわ）　direct (phone) line

正直な（しょうじきな）　honest

直＋角（ちょっかく）　right angle

△ただ（ちに）、なお（す）、なお（る）

▲ちょく、じき

⇨十 20　置 453

色 415

[28] 景色（けしき）　view, landscape

[28] 色（いろ）　color

[37] 金色（きんいろ）　gold

茶色（ちゃいろ）　brown

特色（とくしょく）　characteristic feature

△いろ　▲しょく、しき

危 416

[33] 危険（きけん）　danger

[38] 危ない（あぶない）　dangerous

危機（きき）　crisis

石油危機（せきゆきき）　oil crisis

△あぶ（ない）、あや（うい）、あや（ぶむ）

▲き

負 417

[38] 負ける（まける）　lose (the game), be defeated　cf. 勝つ（かつ） win (the game/war/etc.)

勝負（しょうぶ）　game, match

△ま（ける）、ま（かす）、お（う）　▲ふ

⇨員 30　買 97　貸 114　質 464　慣 306

■＋貝（かい）　shellfish, seashell

急 418

[25] 急行（きゅうこう）　express (train)

[25] 特急（とっきゅう）　special express (train)

[25] 急ぐ（いそぐ）　hurry (up), hasten

[45] 急に（きゅうに）　suddenly

△いそ（ぐ）　▲きゅう

⇨心 230

古 66　真 105　南 156　魚 80

首 苦 若 荷 菓 菜

首 419

[49] 首相（しゅしょう） prime minister

首（くび） neck

△くび ▲しゅ

苦 420

[34] 苦（にが）い bitter

苦（くる）しい painful, difficult, hard

苦（くる）しむ suffer, be in pain

苦心（くしん）する take pains, work hard

重苦（おもくる）しい oppressive, gloomy

△くる（しい）、くる（しむ）、くる（しめる）、

にが（い）、にが（る） ▲く

⇨古 66

若 421

[40] 若（わか）い young

若々（わかわか）しい youthful

若者（わかもの） young person

△わか（い）、も（しくは）

▲じゃく、にゃく

⇨右 86

荷 422

[33] 荷物（にもつ） luggage, baggage

重荷（おもに） burden

△に ▲か

⇨何 49

菓 423

[34] お菓子（かし） candy, cake, sweets

▲か

菜 424

[36] 野菜（やさい） vegetable

菜食主[+]義（さいしょくしゅぎ） vegetarianism

菜園（さいえん） vegetable garden

山菜（さんさい） edible wild plants

△な ▲さい

⇨木 5

茶 102 英 110 花 121

葉 425

35 葉(は) leaf, foliage

落ち葉(おちば) fallen leaves
言葉(ことば) word, language
葉書(はがき) postcard
△は ▲よう

⇨世 238 木 5

夢 426

27 夢(ゆめ) dream
△ゆめ ▲む

⇨夕 222 外 88

落 427

29 落とす(おとす) *vt.* drop, throw down
43 落ちる(おちる) *vi.* fall, drop

落とし物(おとしもの) lost article/property
落ち着く(おちつく) settle down, calm down
△お（ちる）、お（とす） ▲らく

薄 428

44 薄い(うすい) thin (book/paper/etc.), light (color), weak (coffee/tea/etc.)

薄める(うすめる) make thin
薄暗い(うすぐらい) dim, gloomy
△うす（い）、うす（める）、うす（まる）、うす（らぐ）、うす（れる） ▲はく

薬 429

44 薬(くすり) drug, medicine

薬屋(くすりや) pharmacy, drugstore
薬学(やくがく) pharmacology
△くすり ▲やく

⇨楽 186

号 430

29 番号(ばんごう) number
31 ～号(ごう) No. ～

電話番号(でんわばんごう) phone number
+郵便番号(ゆうびんばんごう) zip/postal code
今週号(こんしゅうごう) this week's issue
先週号(せんしゅうごう) last week's issue
▲ごう

⇨口 162

貝 30 足 164 兄 203

品　寺　走　声　岸　宅

品 431

28 品物（しなもの） merchandise, commodity

製品（せいひん） product, manufactured goods
部品（ぶひん） parts
品質（ひんしつ） quality (of a product)
上品な（じょうひん） refined, elegant, graceful
下品な（げひん） gross, vulgar
△しな　▲ひん

⇨口 162

寺 432

37 お寺（てら） temple

東大寺（とうだいじ） the Tohdaiji temple
△てら　▲じ

⇨土 7　付 256　村 330　特 328

■+寸（すん） Japanese inch

走 433

27 走る（はし） run
△はし（る）　▲そう

⇨土 7　足 164　徒 273

声 434

27 声（こえ） voice

大声で（おおごえ） in a loud voice
△こえ、こわ　▲せい、しょう

岸 435

38 海岸（かいがん） coast, beach

西海岸（にしかいがん） west coast
東海岸（ひがしかいがん） east coast
岸（きし） riverbank, shore
△きし　▲がん

宅 436

50 お宅（たく） house (respectful)

住宅（じゅうたく） house
住宅地（じゅうたくち） residential area
自宅（じたく） one's own home
帰宅する（きたく） go/come home
宅配便（たくはいびん） home delivery service
▲たく

去 54　赤 69　安 62　寝 168　字 175　家 200　室 212　窓 213

定 437

31 予定（よてい） plan, schedule

安定した（あんてい） stable
不安定な（ふあんてい） unstable
定食（ていしょく） set meal
定年（ていねん） retirement age
定休日（ていきゅうび） regular day off
△さだ（める）、さだ（まる）、さだ（か）
▲てい、じょう

究 438

24 研究する（けんきゅう） study, do research, investigate
38 研究室（けんきゅうしつ） research laboratory, professor's office

研究所（けんきゅうじょ） research institute
研究者（けんきゅうしゃ） researcher
△きわ（める） ▲きゅう
⇨八 18 九 19

空 439

32 空（そら） sky
44 空気（くうき） air
49 空港（くうこう） airport

青空（あおぞら） blue sky
星空（ほしぞら） starry sky
大空（おおぞら） sky, firmament
空間（くうかん） space
空中（くうちゅう） in the air
△そら、あ（く）、あ（ける）、から
▲くう
⇨八 18 工 223

実 440

47 実験（じっけん） experiment
48 実は（じつ） to tell the truth, actually
△み、みの（る） ▲じつ

案 441

50 案内する（あんない） show around
▲あん

宿 442

41 宿題（しゅくだい） homework
△やど、やど（る）、やど（す） ▲しゅく
⇨百 21

寒 443

43 寒い（さむ） cold
△さむ（い） ▲かん

包 444

42 包む（つつむ）　wrap

包み紙（つつみがみ）　wrapping paper
小包（こづつみ）　parcel
△つつ（む）　▲ほう

⇨配 381　記 367　港 296

■[+]抱く（だく）　hug, hold in one's arms

歯 445

34 歯（は）　tooth
34 歯医者（はいしゃ）　dentist

歯科（しか）　dentistry
[+]虫歯（むしば）　decayed tooth
△は　▲し

⇨止 125　米 234　料 160　番 491　奥 205

歳 446

26 ～歳（さい）　～ years old

歳入（さいにゅう）　revenue
歳出（さいしゅつ）　expenditure
二十歳（はたち）　twenty years old
▲さい、せい

⇨止 125

星 447

32 星（ほし）　star

星空（ほしぞら）　starry sky
火星（かせい）　Mars
水星（すいせい）　Mercury
金星（きんせい）　Venus
木星（もくせい）　Jupiter
土星（どせい）　Saturn
△ほし　▲せい、しょう

⇨生 26

景 448

28 景色（けしき）　view, landscape

景気（けいき）　business conditions
不景気（ふけいき）　economic depression/recession
不景気な（ふけいきな）　gloomy, cheerless
風景（ふうけい）　landscape, scenery
▲けい

⇨京 158

最 449

32 最近(さいきん) lately, recently

最初に(さいしょ) at the beginning
最後に(さいご) at the end, lastly
最高の(さいこう) best, highest
最低の(さいてい) worst, lowest
最悪の(さいあく) worst, disasterous
最+良の(さいりょう) best
△もっと（も） ▲さい

⇨取 374

暑 450

43 暑い(あつ) hot
△あつ（い） ▲しょ

⇨者 32 都 394

具 451

27 道具(どうぐ) tool
34 家具(かぐ) furniture
46 具合(ぐあい) condition

具体+的な(ぐたいてき) concrete, specific
▲ぐ

⇨目 163

注 +貝 shellfish, seashell

県 452

25 県(けん) prefecture
▲けん

⇨目 163

置 453

30 置く(お) put, place

置物(おきもの) ornament (for an alcove/entranceway/etc.)
物置(ものおき) storeroom
△お（く） ▲ち

⇨直 414

界 454

25 世界(せかい) world
▲かい

⇨田 10

産　覚　営　受　業　笑

産 455

41 お土産（みやげ） souvenir

世界（せかい）+遺産（いさん） world heritage
産業（さんぎょう） industry
水産業（すいさんぎょう） fishing industry
生産（せいさん） production
生産物（せいさんぶつ） product
産地（さんち） producing area/center
不動産（ふどうさん） real estate
△う（む）、う（まれる）、うぶ　▲さん

⇨立 124　生 26

覚 456

29 覚える（おぼ） remember, memorize

覚えている（おぼ） remember
△おぼ（える）、さ（ます）、さ（める）
▲かく

⇨見 95

営 457

48 営業（えいぎょう） business, operation, sales

経営する（けいえい） manage/run (a company)
△いとな（む）　▲えい

受 458

31 受ける（う） receive, be given
35 受付（うけつけ） reception/information desk

受け取る（う・と） receive, accept
引き受ける（ひ・う） accept (a job/assignment/etc.), undertake
受験する（じゅけん） take an examination
△う（ける）、う（かる）　▲じゅ

業 459

46 卒業する（そつぎょう） graduate
48 営業（えいぎょう） business, operation, sales

+授業（じゅぎょう） class
事業（じぎょう） business
産業（さんぎょう） industry
工業（こうぎょう） (manufacturing) industry
△わざ　▲ぎょう、ごう

笑 460

44 笑う（わら） laugh, smile

笑い（わら） laughter
△わら（う）、え（む）　▲しょう

■+竹（たけ） bamboo

音 185　意 217　学 25

答 461

24 答え (こた) answer, reply, response
39 答える (こた) answer, reply, respond

回答 (かいとう) reply, answer
△こた（える）、こた（え） ▲とう

■+竹 (たけ) bamboo

符 462

43 切符 (きっぷ) ticket

音符 (おんぷ) musical note
▲ふ

■+竹 (たけ) bamboo

箱 463

30 箱 (はこ) box
30 ごみ箱 (ばこ) trash box

本箱 (ほんばこ) bookcase
△はこ

■+竹 (たけ) bamboo

質 464

34 質問する (しつもん) ask a question

質 (しつ) quality
品質 (ひんしつ) quality (of a product)
本質 (ほんしつ) real nature, substance, essence
▲しつ、しち、ち

⇨員 30 買 97 貸 114 負 417 慣 306

■+貝 (かい) shellfish, seashell

発 465

40 発表 (はっぴょう) announcement, presentation
40 発表会 (はっぴょうかい) recital, rollout, show and tell
41 発音 (はつおん) pronunciation
43 出発する (しゅっぱつ) depart, leave

発明する (はつめい) invent
発見する (はっけん) discover
発行する (はっこう) issue, publish
▲はつ、ほつ

登 466

27 登る (のぼ) climb

登山 (とざん) mountain climbing
登校する (とうこう) go to school (in the case of pupils and students)
△のぼ（る） ▲とう、と

雪　震　無　舞　準　勢　石

雪 467

32 雪(ゆき)　snow

大雪(おおゆき)　heavy snow
初雪(はつゆき)　the first snowfall of the year
△ゆき　▲せつ

震 468

39 地震(じしん)　earthquake

震動(しんどう)　tremor, vibration
震度(しんど)　seismic intensity
△ふる（う）、ふる（える）　▲しん

無 469

38 無理(むり)な　impossible
45 無理(むり)に　forcibly

無名(むめい)の　unknown
無地(むじ)の　plain
無料(むりょう)の　free (of charge)
無口(むくち)な　taciturn, reticent
無事(ぶじ)に　safely, with no problem
△な（い）　▲む、ぶ

⇨黒 70　魚 80　点 487　熱 489

舞 470

41 お見舞(みま)い　inquiry after a person's health

歌舞⁺伎(かぶき)　kabuki
△ま（う）、まい　▲ぶ

準 471

48 準備(じゅんび)　preparation
▲じゅん

勢 472

39 大勢(おおぜい)　a lot of people
△いきお（い）　▲せい

⇨熱 489　力 221

石 473

37 石油(せきゆ)　oil

石(いし)　stone
小石(こいし)　small stone
△いし　▲せき、しゃく、こく

⇨研 352　磨 506

電 57　⻗ (雨 126) suggests a connection with rain.　早 142　男 89　古 66　右 86　名 149

台 474

24 ～台（だい） (counter for vehicles/machines)
28 台所（だいどころ） kitchen
47 台風（たいふう） typhoon

台（だい） base, stand
台本（だいほん） script, screenplay
▲だい、たい

⇨治 286　始 311　払 318

君 475

48 ～君（くん） (suffix after a person's name usually used by a superior)
△きみ　▲くん

妻 476

49 妻（つま） wife

～⁺夫妻（ふさい） Mr. and Mrs. ～
△つま　▲さい

⇨娘 312

要 477

42 必要な（ひつよう） necessary

重要な（じゅうよう） important
主要な（しゅよう） major
要点（ようてん） main point
要約（ようやく） summary
要る（い） be required/needed
△かなめ、い（る）　▲よう

⇨娘 312

変 478

35 変わる（か） *vi.* change, be altered, vary, be amended, be revised, change into
37 大変な（たいへん） serious, grave, terrible, dreadful
38 変える（か） *vt.* change, alter, reform (a system)
43 変な（へん） odd, strange, queer

変化する（へんか） change, alter, vary
不変の（ふへん） unchangeable, invariable, constant
△か（わる）、か（える）　▲へん

⇨冬 191

髪 479

44 髪（かみ） hair
△かみ　▲はつ

⇨友 100

安 (62)　女 (女 90) suggests a connection with women.　夏 (189)

柔 480

48 柔道（じゅうどう） judo

柔らかい（やわ） soft, tender, gentle

△やわ（らか）、やわ（らかい）

▲じゅう、にゅう

⇨務 354

集 481

24 集める（あつ） *vt.* bring together, gather, collect, call together

47 集まる（あつ） *vi.* gather, get together, meet, be concentrated

集中する（しゅうちゅう） concentrate, centralize, focus on

△あつ（まる）、あつ（める）、つど（う）

▲しゅう

⇨難 403 曜 165

昔 482

35 昔（むかし） long ago, before (in contrast to "at present")

大昔（おおむかし） ancient times

昔話（むかしばなし） old tale

△むかし ▲せき、しゃく

替 483

41 取り替える（と か） change (parts/etc.)

替える（か） replace

着替え（き が） a change of clothes

着替える（き が） change one's clothes

△か（える）、か（わる） ▲たい

忘 484

29 忘れ物（わす もの） thing left behind

29 忘れる（わす） forget

40 忘年会（ぼうねんかい） year-end (dinner) party

△わす（れる） ▲ぼう

⇨心 230 亡 236 忙 304

念 485

45 残念な（ざんねん） regrettable, unfortunate

▲ねん

⇨今 37 心 230 急 418

息 486

41 息子（むすこ） son

息（いき） breath

△いき ▲そく

⇨自 59 心 230 急 418

楽 186 者 32 書 92 音 185 春 188

悪 139 思 167 窓 213 意 217 心（心 230） suggests a connection with the mind/mental activity.

点 487

45 点（てん） point

出発点（しゅっぱつてん） starting point

▲てん

⇨無 469

然 488

50 自然（しぜん） nature

全然（ぜんぜん） totally

当然の（とうぜん） natural (consequence, result, etc.)

▲ぜん、ねん

熱 489

28 熱（ねつ） heat, fever

28 熱心な（ねっしん） earnest

35 熱い（あつ） hot

熱湯（ねっとう） boiling water

△あつ（い） ▲ねつ

⇨無 469 勢 472

皆 490

45 皆さん（みな） everybody

50 皆様（みなさま） everybody (honorific)

△みな ▲かい

⇨白 68 百 21 階 302

番 491

29 番号（ばんごう） number

45 119番（ひゃくじゅうきゅうばん） emergency number for ambulance service

45 110番（ひゃくとおばん） emergency telephone number

47 交番（こうばん） police station

電話番号（でんわばんごう） phone number

+郵便番号（ゆうびんばんごう） zip/postal code

留+守番電話（るすばんでんわ） answer phone

～番（ばん） number ～

▲ばん

⇨田 10 料 160 奥 205 歯 445 米 234

留 492

48 留学する（りゅうがく） go abroad to study

留学生（りゅうがくせい） foreign/overseas student

留+守番電話（るすばんでんわ） answer phone

△と（める）、と（まる） ▲りゅう、る

⇨田 10

育 493

38 育てる（そだ） bring up, raise

42 教育（きょういく） education

△そだ（つ）、そだ（てる）、はぐく（む）

▲いく

⇨服 183 朝 38

祭 494

47 祭り（まつ） festival

△まつ（る）、まつ（り）　▲さい

⇨際 303

禁 495

33 立入禁止（たちいりきんし） no entry

33 使用禁止（しようきんし） banning/prohibition of use, "Do not use!"

▲きん

表 496

40 表（おもて） surface, front

40 発表（はっぴょう） announcement, presentation

40 発表会（はっぴょうかい） recital, rollout, show and tell

表（ひょう） table, chart

表紙（ひょうし） cover (of a book/magazine)

△おもて、あらわ（す）、あらわ（れる）

▲ひょう

⇨青 67

製 497

38 〜製（せい） made in 〜

日本製（にほんせい） made in Japan

製品（せいひん） (manufactured) product

▲せい

袋 498

29 袋（ふくろ） sack, bag

41 手袋（てぶくろ） gloves

42 のし袋（ぶくろ） decorative envelope

紙袋（かみぶくろ） paper bag

△ふくろ　▲たい

賃 499

45 家賃（やちん） rent

▲ちん

⇨負 417　質 464　慣 306

資 500

45 資料（しりょう） materials, data

資源（しげん） (natural) resource

▲し

⇨負 417　質 464　慣 306

厚 501

44 厚い（あつ） thick

厚かましい（あつ） shameless, brazen-faced

△あつ（い）　▲こう

員 30　買 97　貸 114

原 席 座 庭 磨 存 届

原 502

37 原料（げんりょう） (raw) materials

46 原因（げんいん） cause

△はら ▲げん

席 503

33 席（せき） seat

33 出席する（しゅっせき） attend (a class/meeting/etc.)

予約席（よやくせき） reserved seat

席を外す（せき はず） leave the room

+欠席する（けっせき） be absent

▲せき

座 504

27 座る（すわ） sit down

口座（こうざ） bank account

△すわ（る） ▲ざ

庭 505

47 庭（にわ） garden, yard, backyard

家庭（かてい） one's home

校庭（こうてい） schoolyard, school grounds

日本庭園（にほんていえん） Japanese garden

△にわ ▲てい

磨 506

34 磨く（みが） brush (one's teeth), shine (shoes/etc.)

歯磨き（はみが） toothbrushing, toothpaste

△みが（く） ▲ま

⇨石 473

■+林（はやし） forest, bush

存 507

49 ご存じ（ぞん） know (honorific)

▲そん、ぞん

⇨子 75

届 508

46 届く（とど） be delivered, reach, arrive

48 届ける（とど） report, notify, deliver

+欠席届（けっせきとどけ） notice of absence (from school)

+欠勤届（けっきんとどけ） notice of absence (from work)

△とど（ける）、とど（く）

⇨由 240

店 109　広 134　度 182　昼 39　屋 211

戻 509

33 戻る(もど) *vi.* return, go/come back
36 戻す(もど) *vt.* return, give back
△もど（す）、もど（る） ▲れい

疲 510

49 疲れる(つか) be tired, grow weary

疲れ(つか) tiredness, fatigue, weariness
△つか（れる） ▲ひ

⇨彼 272 波 277

痛 511

44 痛い(いた) hurt, be painful

痛み(いた) pain, ache
痛む(いた) hurt, ache, have a pain
痛ましい(いた) pitiful, sad, miserable
頭痛(ずつう) headache
△いた（い）、いた（む）、いた（める）
▲つう

込 512

32 込む(こ) be crowded

申し込む(もう、こ) apply
飛び込む(と、こ) dive, plunge into
申し込み(もう、こ) application
払い込む(はら、こ) pay (into an account)
△こ（む）、こ（める）

⇨入 127

辺 513

29 ～辺(へん) (this/that) neighborhood

海辺(うみべ) seashore, beach
△あた（り）、べ ▲へん

■+刀(かたな) sword

返 514

40 返事(へんじ) answer, reply

返す(かえ) return, give something back
送り返す(おく、かえ) send back, return
△かえ（す）、かえ（る） ▲へん

⇨飯 384

■+反+対の(はんたい) opposite

病(195) 疒 suggests a connection with sickness/disease/injury.
週(53) 近(84) 達(101) 送(112) 道(192) 運(198) 辶 suggests a connection with streets.

迎 515

[43] 迎える（むか） meet, greet, receive

迎えに行く（むか・い） go to meet someone (at the airport/station/etc.), pick up

△むか（える） ▲げい

[注] 卯 251

速 516

[38] 速い（はや） fast, quick, swift

△はや（い）、はや（める）、はや（まる）、すみ（やか）

▲そく

■ +束（たば） bundle

途 517

[39] 途中で（と ちゅう） on the way, midway

開発途上国（かいはつ と じょうこく） developing country

▲と

■ +余る（あま） be left over

[注] 金 6

通 518

[28] 通う（かよ） go to (school/work)

[39] 交通（こうつう） traffic, transportation

[39] 通る（とお） go along, pass through/along

通り（とお） street

通学する（つうがく） attend/go to school

通勤する（つうきん） commute, go to one's office

一方通行（いっぽうつうこう） one way

+普通（ふ つう） common, ordinary, usual

△とお（る）、とお（す）、かよ（う）

▲つう、つ

⇨踊 379

連 519

[30] 連絡する（れんらく） contact

[31] 連休（れん きゅう） consecutive holidays

[31] 連れて行く（つ・い） take someone to some place

△つら（なる）、つら（ねる）、つ（れる）

▲れん

⇨車 58

過 遅 遠 違 選

過 520

36 過(す)ぎる　pass, go past, elapse
49 過(す)ごす　pass (time)

通(とお)り過(す)ぎる　go past, pass (a place/etc.)
飲(の)み過(す)ぎ　drinking too much, excessive drinking
食(た)べ過(す)ぎ　eating too much, excessive eating
過去(かこ)　past
△す（ぎる）、す（ごす）、あやま（つ）、あやま（ち）　▲か

遅 521

26 遅(おく)れる　*vi.* be delayed, be late, be overdue
31 遅(おそ)い　late, slow

遅(おく)らす　*vt.* delay, put off
遅(ち)⁺刻(こく)する　be late (for school/class/the office)
△おく（れる）、おく（らす）、おそ（い）
▲ち

⇨洋 289

■⁺羊(ひつじ)　sheep

遠 522

26 遠(とお)い　far
△とお（い）　▲えん、おん

⇨園 531

違 523

36 違(ちが)う　be different, be wrong

違(ちが)い　difference
間(ま)違(ちが)い　mistake, error, accident, mishap
間(ま)違(ちが)って　erroneously
間(ま)違(ちが)える　make a mistake
△ちが（う）、ちが（える）　▲い

選 524

28 選(えら)ぶ　choose, select, elect

選(せん)⁺挙(きょ)　election
△えら（ぶ）　▲せん

遊 525

32 遊ぶ(あそ) play, have fun

遊園地(ゆうえんち) amusement park
遊歩道(ゆうほどう) promenade
△あそ（ぶ） ▲ゆう、ゆ

⇨方 176　子 75

越 526

49 引っ越しする(ひ こ) move to another place

引っ越す(ひ こ) move to another place
△こ（す）、こ（える） ▲えつ

⇨徒 273

題 527

24 問題(もんだい) issue, problem, question (in an exam)
41 宿題(しゅくだい) homework

話題(わだい) topic, subject (of a conversation)
題名(だいめい) title
▲だい

⇨頼 404　頭 405　顔 406

因 528

46 原因(げんいん) cause
△よ（る） ▲いん

困 529

39 困る(こま) have difficulty/trouble, be in/get into trouble, be embarrassed
△こま（る） ▲こん

回 530

34 回す(まわ) spin, turn
34 ～回(かい) ～ times

前回(ぜんかい) last time
今回(こんかい) this time
次回(じかい) next time
回答(かいとう) reply, answer
回る(まわ) turn round, go round
回り道(まわみち) detour, roundabout way
△まわ（る）、まわ（す） ▲かい、え

園　風　向　問　島　鳥

園 531

31 動物園（どうぶつえん）　zoo, zoological gardens

+公園（こうえん）　park
遊園地（ゆうえんち）　amusement park
日本庭園（にほんていえん）　Japanese garden
△その　▲えん

⇨遠 522

風 532

45 風（かぜ）　wind
47 台風（たいふう）　typhoon

風景（ふうけい）　landscape, scenery
風+邪（かぜ）　a cold
風力発電（ふうりょくはつでん）　wind power generation
△かぜ、かざ　▲ふう、ふ

向 533

35 向（む）こう　opposite side
46 向（む）かう　head for, leave for

方向（ほうこう）　direction
△む（く）、む（ける）、む（かう）、む（こう）
▲こう

問 534

24 問題（もんだい）　issue, problem, question (in an exam)
34 質問（しつもん）する　ask a question
△と（う）、と（い）、とん　▲もん

■+門（もん）　gate

島 535

35 島（しま）　island

島国（しまぐに）　island country
無人島（むじんとう）　uninhabited island
半島（はんとう）　peninsula
△しま　▲とう

鳥 536

27 鳥（とり）　bird

小鳥（ことり）　little bird
白鳥（はくちょう）　swan
△とり　▲ちょう

間 85　聞 93　開 214　閉 215　門 suggests a connection with gates.

Index of target kanji words

ユニット番号（ばんごう）	漢字番号（かんじばんごう）
↓	↓

相手（あいて）	47	相 332　手 76

［さ］

［し］

［ふ］

［へ］

［ほ］

［ま］

［み］

［む］

［め］

［も］

［や］

［ゆ］

［よ］

［ら］

［り］

［れ］

[わ]

Index of target kanji by the component

List of target kanji

日 1	月 2	火 3	水 4	木 5	金 6	土 7	山 8	川 9	田 10	一 11	二 12	三 13	四 14	五 15	六 16	七 17	八 18	九 19
十 20	百 21	千 22	万 23	円 24	学 25	生 26	先 27	会 28	社 29	員 30	医 31	者 32	本 33	中 34	国 35	人 36	今 37	朝 38
昼 39	晩 40	時 41	分 42	半 43	午 44	前 45	後 46	休 47	毎 48	何 49	行 50	来 51	校 52	週 53	去 54	年 55	駅 56	電 57
車 58	自 59	転 60	高 61	安 62	大 63	小 64	新 65	古 66	青 67	白 68	赤 69	黒 70	上 71	下 72	父 73	母 74	子 75	手 76
好 77	主 78	肉 79	魚 80	食 81	飲 82	物 83	近 84	間 85	右 86	左 87	外 88	男 89	女 90	犬 91	書 92	聞 93	読 94	見 95
話 96	買 97	起 98	帰 99	友 100	達 101	茶 102	酒 103	写 104	真 105	紙 106	映 107	画 108	店 109	英 110	語 111	送 112	切 113	貸 114
借 115	旅 116	教 117	習 118	勉 119	強 120	花 121	歩 122	待 123	立 124	止 125	雨 126	入 127	出 128	売 129	使 130	作 131	明 132	暗 133
広 134	多 135	少 136	長 137	短 138	悪 139	重 140	軽 141	早 142	便 143	利 144	元 145	気 146	親 147	有 148	名 149	地 150	鉄 151	仕 152
事 153	東 154	西 155	南 156	北 157	京 158	夜 159	料 160	理 161	口 162	目 163	足 164	曜 165	降 166	思 167	寝 168	終 169	言 170	知 171
動 172	同 173	漢 174	字 175	方 176	図 177	館 178	銀 179	町 180	住 181	度 182	服 183	着 184	音 185	楽 186	持 187	春 188	夏 189	秋 190
冬 191	道 192	堂 193	建 194	病 195	院 196	体 197	運 198	乗 199	家 200	内 201	族 202	兄 203	弟 204	奥 205	姉 206	妹 207	海 208	計 209
部 210	屋 211	室 212	窓 213	開 214	閉 215	歌 216	意 217	味 218	天 219	考 220	力 221	夕 222	工 223	甘 224	太 225	牛 226	片 227	予 228
不 229	心 230	必 231	失 232	末 233	米 234	以 235	亡 236	正 237	世 238	両 239	由 240	皿 241	用 242	冊 243	曲 244	耳 245	並 246	申 247
式 248	参 249	弱 250	卵 251	飛 252	次 253	冷 254	化 255	付 256	代 257	伝 258	伺 259	低 260	倍 261	係 262	側 263	倒 264	値 265	修 266

備	働	億	優	役	彼	徒	律	復	池	波	汚	決	油	泊	泣	泳	沸	法
267	268	269	270	271	272	273	274	275	276	277	278	279	280	281	282	283	284	285
治	活	注	洋	洗	浴	消	涼	済	渡	港	湯	場	増	険	隅	階	際	忙
286	287	288	289	290	291	292	293	294	295	296	297	298	299	300	301	302	303	304
怖	慣	将	狭	引	張	始	娘	婚	吸	吹	呼	咲	払	投	押	拝	招	拾
305	306	307	308	309	310	311	312	313	314	315	316	317	318	319	320	321	322	323
捨	換	帽	焼	特	机	村	枚	相	格	様	横	橋	機	礼	祝	神	祖	残
324	325	326	327	328	329	330	331	332	333	334	335	336	337	338	339	340	341	342
死	珍	暖	勝	眠	私	科	初	複	研	確	務	約	経	組	結	給	絡	絵
343	344	345	346	347	348	349	350	351	352	353	354	355	356	357	358	359	360	361
続	緑	練	船	辞	記	談	試	説	誌	調	議	取	恥	敗	輸	触	踊	野
362	363	364	365	366	367	368	369	370	371	372	373	374	375	376	377	378	379	380
配	乾	静	飯	靴	報	駐	験	乳	勤	到	別	割	都	形	所	欲	政	散
381	382	383	384	385	386	387	388	389	390	391	392	393	394	395	396	397	398	399
数	段	雑	難	頼	頭	顔	願	文	市	交	卒	合	全	直	色	危	負	急
400	401	402	403	404	405	406	407	408	409	410	411	412	413	414	415	416	417	418
首	苦	若	荷	菓	菜	葉	夢	落	薄	薬	号	品	寺	走	声	岸	宅	定
419	420	421	422	423	424	425	426	427	428	429	430	431	432	433	434	435	436	437
究	空	実	案	宿	寒	包	歯	歳	星	景	最	暑	具	県	置	界	産	覚
438	439	440	441	442	443	444	445	446	447	448	449	450	451	452	453	454	455	456
営	受	業	笑	答	符	箱	質	発	登	雪	震	無	舞	準	勢	石	台	君
457	458	459	460	461	462	463	464	465	466	467	468	469	470	471	472	473	474	475
妻	要	変	髪	柔	集	昔	替	忘	念	息	点	然	熱	皆	番	留	育	祭
476	477	478	479	480	481	482	483	484	485	486	487	488	489	490	491	492	493	494
禁	表	製	袋	賃	資	厚	原	席	座	庭	磨	存	届	戻	疲	痛	込	辺
495	496	497	498	499	500	501	502	503	504	505	506	507	508	509	510	511	512	513
返	迎	速	途	通	連	過	遅	遠	違	選	遊	越	題	因	困	回	園	風
514	515	516	517	518	519	520	521	522	523	524	525	526	527	528	529	530	531	532
向	問	島	鳥															
533	534	535	536